Slang

JACK SCHOLES

Gírias Atuais do Inglês

8ª Reimpressão

© 2004 Jack Scholes

Coordenação editorial
Paulo Nascimento Verano

Copidesque
Mário Vilela

Capa e projeto gráfico
Paula Astiz

Editoração eletrônica
Melissa Yukie Kawaoku / Paula Astiz Design

Dados Internacionais de Catalogação na Publicação (CIP)
(Câmara Brasileira do Livro, SP, Brasil)

Scholes, Jack
      Slang : gírias atuais do inglês / Jack Scholes. – 1. ed. –
São Paulo : Disal, 2004.

      ISBN 978-85-89533-14-0

      1. Inglês – Gíria – Dicionários I. Título.

04-2541   CDD-427.0903

Índices para catálogo sistemático:

1. Dicionários de gírias : Inglês : Lingüística 427.0903
2. Gírias : Inglês : Dicionários : Lingüística 427.0903
3. Inglês : Gírias : Dicionários : Lingüística 427.0903

Todos os direitos reservados em nome de: Bantim, Canato e Guazzelli Editora Ltda.

Al. Mamoré, 911, sala 107, Alphaville
06454-040, Barueri, SP
Tel./Fax: (11) 4195-2811

Visite nosso site: www.disaleditora.com.br

Nenhuma parte desta publicação pode ser reproduzida, arquivada nem transmitida de nenhuma forma ou meio sem permissão expressa e escrita da Editora.

Sumário

Foreword, David Crystal	7
Prefácio, David Crystal	9
Introdução	11
Slang	13
Glossário Português-Inglês	123

Foreword
DAVID CRYSTAL

I follow a single basic principle in my approach to language. Anything which helps people to appreciate the real linguistic world is a good thing. The operative word is real.

Why is it necessary to make such an obvious statement? Because during the middle of the eighteenth century, the study of language became patently unreal. Generations of prescriptively minded grammarians and dictionary-writers tried to make us believe that only one variety of language was ever worth studying – the most formal, written variety – and they judged speech in terms of how far it approximated to that variety. The surprising thing is that, for 250 years, they succeeded. Many people have been taught to believe that there is something wrong with colloquial language – that it is somehow inferior to the formal written language. In particular, they have an inferiority complex about slang. They are scared of slang. Such a long-standing inferiority complex will take a long time to eradicate, but it has to be done, for slang is one of the most vital elements in the life-blood of language, and it leads us into some of the most exciting areas of language use. As G.K. Chesterton put it, 'All slang is metaphor, and all metaphor is poetry.'

For decades I have been trying to foster a new climate in which all varieties of a language are equally respected, and I therefore warmly welcome any book which moves in the direction of this goal by bringing neglected areas to the attention of language users. In this respect, Jack Scholes' book is a real step forward. I see it helping language teachers and learners in Brazil in many ways. These words and phrases are very frequently used, so they cannot be avoided. The book will thus familiarise learners with one of the most dynamic areas of English usage. It will also help them understand where slang comes from. And it will give them the confidence to put some of the items to active use. In a word, it will teach them how to stop being scared.

Today, the importance of slang is increasingly recognized. People have begun to appreciate its central role in everyday life. As Carl Sandburg put it, 'Slang is a language that rolls up its sleeves, spits on its hands and goes to work.' And we do see slang at work, these days, all over the English-speaking world, for the regional varieties of English are rapidly developing their local varieties. Today, slang has to be viewed in a global perspective. And it is important to note that UK, US, and Australian sources are all illustrated in this book.

'The chief use of slang', an old rhyme says, 'is to show that you're one of the gang.' Jack Scholes' book is an excellent way of keeping in touch with the World English gang.

David Crystal
Honorary Professor of Linguistics, University of Wales, Bangor
Author of The Cambridge Encyclopedia of the English Language

Prefácio
DAVID CRYSTAL

Na abordagem que dou à linguagem, sigo um só princípio básico: tudo o que ajuda as pessoas a compreenderem o mundo lingüístico real é bom. A palavra-chave é real.

Por que é que precisamos fazer uma afirmação tão óbvia? Porque, na metade do século XVIII, o estudo da linguagem se tornou flagrantemente irreal. Gerações de gramáticos e lexicógrafos de mentalidade prescritiva tentaram fazer que acreditássemos que só valia a pena estudar uma única variedade de linguagem – a mais formal, escrita –, e eles avaliavam o discurso em termos de quanto ele se aproximava daquela variedade. O surpreendente é que, durante 250 anos, eles conseguiram. Muita gente foi ensinada a crer que existe algo de errado com a linguagem coloquial – que ela, de algum modo, é inferior à linguagem formal escrita. Em especial, essas pessoas têm um complexo de inferioridade em relação à gíria. Elas morrem de medo dela. Um complexo de inferioridade que vem de tanto tempo vai demorar muito para ser erradicado, mas é algo que precisa ser feito, pois a gíria constitui um dos elementos mais essenciais da força vital de um idioma, e ela nos leva a algumas das áreas mais empolgantes do uso lingüístico. É como dizia o escritor inglês G.K. Chesterton: "Toda gíria é metáfora, e toda metáfora é poesia".

Faz décadas que venho procurando estimular um novo ambiente, em que todas as variedades de um idioma sejam igualmente respeitadas. Por isso, acolho entusiasticamente todo livro que, ao levar áreas negligenciadas à atenção dos usuários lingüísticos, contribua para a consecução daquele objetivo. Nesse aspecto, o livro de Jack Scholes é de fato um grande avanço. Prevejo que ele vá ajudar de muitas maneiras os professores e os estudantes de idiomas no Brasil. Essas palavras e frases são usadas com muita freqüência, e, portanto, não há como fugir a elas. Assim, o livro fará que os estudantes se familiarizem com uma das áreas mais dinâmicas do emprego do inglês. Também os ajudará a compreender as origens da gíria. E lhes dará confiança para empregar ativamente algumas dessas expressões. Em suma, ele os ensinará a não terem mais medo.

Atualmente, reconhece-se cada vez mais a importância da gíria. As pessoas começaram a entender o papel fundamental que ela tem no dia-a-dia. Como disse o poeta americano Carl Sandburg, "A gíria é a linguagem que arregaça as mangas e põe mãos à obra". E, hoje em dia, realmente vemos a gíria pôr mãos à obra em todo o mundo anglófono, pois as variedades regionais do inglês vão depressa desenvolvendo suas próprias subvariedades. Em nossa época, a gíria precisa ser vista de uma perspectiva global (e é importante lembrar que usos do Reino Unido, dos EUA e da Austrália estão exemplificados neste livro).

The chief use of slang is to show that you're one of the gang, diz uma velha rima – "A principal utilidade do calão é mostrar que se é parte da multidão". O livro de Jack Scholes é uma excelente maneira de manter contato com a multidão que fala inglês pelo mundo afora.

David Crystal
Catedrático honorário de lingüística, Universidade do País de Gales (Bangor)
Autor da *Cambridge Encyclopedia of the English Language*

Introdução

O QUE É SLANG?

A palavra *slang* significa **gíria**. A gíria é tão antiga quanto o ato de falar. É uma linguagem vibrante, excitante, engenhosa, ofensiva, pitoresca, cômica e divertida. Hoje, ela faz parte da linguagem do cinema, da televisão, do rádio, dos livros, dos jornais, das revistas e de toda a conversa informal do dia-a-dia.

O termo **gíria** pode ser definido como uma linguagem informal, normalmente falada, e às vezes usada por um grupo específico – como, por exemplo, o dos malandros. Deixando de lado esse último tipo de jargão, a gíria pode ser entendida como um termo genérico que abrange todas as palavras e expressões coloquiais da linguagem informal cotidiana. Em todo caso, não há regras claras e exatas para separar rigorosamente a gíria da linguagem coloquial.

PORQUE A GÍRIA INGLESA É TÃO IMPORTANTE?

Até recentemente, a língua escrita servia de base para o inglês oficial, padrão. Hoje em dia a língua inglesa falada está adquirindo cada vez mais importância e influência. Mudanças radicais na sociedade moderna transformaram o uso da língua inglesa, e a gíria e as expressões informais agora são aceitas como parte integral e natural do inglês atual.

A língua inglesa está em continua evolução, e é principalmente na área de vocabulário que as mudanças estão mais evidentes, daí o fato de o vocabulário oferecer dificuldade maior para quem está estudando inglês. A grande frustração dos brasileiros é que, mesmo depois de anos de estudos árduos, eles continuam sem entender boa parte do inglês falado em conversas informais. E, na hora de falar, poucos brasileiros se atrevem a arriscar uma palavra ou expressão de gíria, limitando-se ao vocabulário básico ensinado nos livros ou nas escolas.

A diferença entre os falantes fluentes e os não-fluentes é justamente o conhecimento amplo e o uso correto da gíria e das expressões coloquiais. Gíria é importante porque dá poderes ao falante da língua, amplia e enriquece suas habilidades e lhe dá a confiança de fazer uma comunicação fluente e eficaz.

SOBRE O LIVRO SLANG

Os verbetes deste livro foram cuidadosamente selecionados. Palavras e expressões de moda passageira não foram incluídas. A gíria, de fato, tem uma longevidade impressionante e a grande maioria das palavras aqui listadas já faz parte da língua inglesa informal há bastante tempo – e tudo indica que assim deve continuar.

O inglês já é considerado a língua universal. Com as viagens, hoje mais fáceis, e a proliferação do uso do idioma na mídia mundial, até para os falantes nativos da língua não há mais grandes dificuldades em entender as diferentes variantes. Por isso, a grande maioria das palavras e expressões aqui é de inglês internacional e pode ser usada em qualquer lugar do mundo. Quando uma palavra é usada principalmente nos Estados Unidos, na Grã-Bretanha ou na Austrália, isso é indicado com as siglas entre parênteses – **(US)**, **(UK)** e **(AUS)**, respectivamente.

Cada verbete é traduzido para o português; depois, segue-se um exemplo do uso em frases completas, também traduzidas para maior clareza. E há, ainda, explicações do seu uso correto e outras expressões relacionadas ao verbete. Sempre que possível, o verbete é acrescido de remissões a outros verbetes correlatos citados no livro.

O Glossário Português-Inglês, com uma lista completa de palavras em português, em ordem alfabética, é uma parte essencial do livro, que facilita seu uso e oferece uma forma rápida de achar o equivalente em inglês para a palavra procurada em português.

O estudo da língua inglesa é fascinante e também deve ser um prazer. A gíria é a área de estudo mais divertida, e o objetivo deste livro é que, acima de tudo, o leitor se divirta.

ENJOY!

Jack Scholes

Slang

AC/DC 1. BISSEXUAL; BI, GILETE 2. HOMOSSEXUAL IGUALMENTE ATIVO E PASSIVO NA RELAÇÃO SEXUAL

▶ *They say Dave is AC/DC.*
Dizem que Dave é bi.
▷ AC/DC é a sigla das variedades opostas de corrente elétrica: *alternating current*, **corrente alternada**, e *direct current*, **corrente contínua**.
▶▶ *drama queen*
dyke/dike
fag/faggot
gaydar
poof/poofter (UK)
queen
queer

ACE HABILIDOSO; CRAQUE

▶ *He's an ace at doing crossword puzzles.*
Ele é craque nas palavras cruzadas.
▷ Do nome da carta de maior valor no baralho: *the ace*, **o ás**.

ACE IN THE HOLE/ACE UP YOUR SLEEVE UM TRUNFO NA MANGA, UM RECURSO MANTIDO EM SEGREDO PARA SER USADO COM VANTAGEM MAIS TARDE

▶ *In a difficult negotiation, it's always a good idea to have an ace up your sleeve.*
Numa negociação difícil, é sempre boa idéia manter um trunfo na manga.
▷ No jogo de pôquer, *the hole card* é a carta que se mantém virada para baixo na mesa; e *an ace*, um ás, é a carta de maior valor.

ACID AS DROGAS ILEGAIS LSD E ECSTASY

▶ *He took some acid.*
Ele tomou LSD (ou ecstasy).
▷ Nos anos 1960, *acid* foi usada para designar o LSD (*lysergic acid diethylamide*). A partir dos anos 1980, o termo voltou como apelido de outra droga alucinógena, a MDMA, ou ecstasy, também conhecida como *Adam*.
▶▶ *joint*
pot
roach

15

ACID HOUSE PARTY RAVE

▶ *There were hundreds of teenagers at the acid house party.*
Havia centenas de adolescentes na rave.

▷ Um armazém ou prédio grande, em sítios e fazendas longe do centro da cidade, é normalmente usado para o tipo de megafesta conhecida como *acid house party* (também chamada *rave* em inglês), em que se toca muita música, sobretudo techno e hardcore. As festas são freqüentadas por milhares de jovens, embalados pela música e, supostamente, pelas drogas ilegais.

AIRHEAD IDIOTA, BOBO

▶ *Some airhead put sugar in the saltpot.*
Algum idiota colocou açúcar no saleiro.

▷ Alguém que tem apenas ar (*air*) na cabeça (*head*), sem cérebro nenhum, só pode ser um idiota.

▶▶ *dork*
goof
jerk
a lemon
nitwit
pea-brain
thick

A.K.A./AKA PSEUDÔNIMO; APELIDO; NOME FALSO

▶ *Edson Arantes do Nascimento, aka Pelé, King of Football.*
Edson Arantes do Nascimento, também conhecido como Pelé, Rei do Futebol.

▷ *Aka* são as iniciais da frase *also known as*, ou seja, **também conhecido como**.

ALL THAT JAZZ "E OUTRAS COISAS DESSE TIPO"

▶ *The store has books, magazines, stationery and all that jazz.*
A loja tem livros, revistas, artigos de papelaria e coisas assim.

▷ A expressão *all that jazz* é normalmente usada depois de uma relação de coisas ou assuntos.

-ANIMAL PESSOA DE DETERMINADO TIPO, COM UM PENDOR ESPECÍFICO

▶ *She's a real party animal.*
Ela é o tipo de pessoa que adora festas.

▷ Outros exemplos: *political animal; social animal.*

ANTSY/(TO HAVE) ANTS IN YOUR PANTS NERVOSO, AGITADO, INQUIETO, IMPACIENTE

▶ *Can't you wait a bit more? You really have ants in your pants!*
Você não pode esperar mais um pouco? Você está muito inquieto!

▷ A tradução ao pé da letra explica tudo: "ter formigas nas calças".
►► *to get your knickers in a twist*
in a tizz/tizzy

(TO GO) APE/APESHIT FICAR LOUCO, FURIOSO, FURIBUNDO; FICAR P. DA VIDA

► *Maria went ape when I forgot her birthday.*
Maria ficou p. da vida quando me esqueci do aniversário dela.
▷ O macaco (*ape*), quando capturado e enjaulado, fica realmente maluco. A expressão lembra também a fúria de King Kong, o macaco gigante do filme de 1933.
►► *hot under the collar*
miffed

ARMPIT LUGAR MAIS FEIO, HORRÍVEL, NOJENTO; CU-DO-MUNDO

► *This town is the armpit of the state.*
Essa cidade é o lugar mais horrível do estado.
▷ *Armpit* é o **sovaco**, parte do corpo humano que tem a lamentável conotação de sujeira e fedor.

ARTSY-FARTSY (US)/ARTY-FARTY (UK) PRETENSIOSO; ESPALHAFATOSO; EXCESSIVAMENTE INTELECTUAL

► *It may be artsy-fartsy, but it was sold for a million dollars.*
Pode ser pretensioso, mas foi vendido por 1 milhão de dólares.
▷ Além da boa rima entre as duas palavras, a segunda pode indicar a falta de conteúdo positivo: *fart* significa **peido, gases intestinais**.
►► *(to) fart*

ASAP TÃO LOGO SEJA POSSÍVEL, O QUANTO ANTES

► *I need the report on my desk ASAP/asap.*
Eu preciso do relatório na minha mesa o quanto antes.
▷ A palavra *asap* é formada das iniciais da frase *as soon as possible* (**tão logo seja possível**).
▷ Se há muita urgência, existe também a sigla (grosseira) *ASAFP/asafp*, que significa *as soon as fucking possible* (**tão logo seja possível, porra!**).
►► *PDQ*

ASS (US)/ARSE (UK) NÁDEGAS; BUNDA, RABO, CU

► *He has a huge ass.*
Ele tem uma bunda enorme.
▷ A palavra *ass*, ou (na versão britânica) *arse*, é muito usada em expressões coloquiais ou grosseiras, tais como:

- ► *Get your ass over here right now!*
  Vem pra cá, já!
- ► *Move your ass or you'll be late.*
  Vamos, depressa, senão vai chegar atrasado.
- ► *Get off your ass!* ou *Get your ass into gear!*
  Mexa-se!
- ► *You'd better cover your ass.*
  É melhor você fazer algo para evitar crítica ou repreensão.
- ► *"He seemed like a nice guy." "Nice, my ass!"*
  "Ele pareceu um cara legal." "Legal, uma ova!"
- ► *He doesn't know his ass from his elbow.*
  Ele é totalmente incompetente.
- ► *Up your ass!*
  Vá tomar no cu!
- ▷ Usado por homens, ao referirem-se a mulheres do ponto de vista sexual.
- ► *A nice piece of ass.*
  Um pedaço de mau caminho.
- ►► *bumf/bumph (UK)*
  butt
  fanny
  half-assed (US)/half-arsed (UK)
  to kick (some) ass
  tush (US)
  Up yours!

ASSHOLE (US)/ARSEHOLE (UK) 1. ÂNUS; CU 2. CRETINO; CUZÃO

- ► *He's such an asshole!*
  Ele é tão imbecil!
- ►► *dick*
  prick
  runt
  schlep/schmuck (US)
  scumbag
  tosser (UK)
  twat
  wanker (UK)

ASSHOLED (US)/ARSEHOLED (UK) MUITO BÊBADO; DE PORRE

- ► *I got completely assholed at the party.*
  Fiquei completamente de porre na festa.
- ▷ Usam-se também os termos ofensivos *rat-assed* (US) e *rat-arsed* (UK) para

qualificar alguém extremamente bêbado.

▶▶ *hammered*
loaded (US)
one too many
(to have) a skinful (UK)
sloshed
tipsy

ASS-LICKER (US)/ARSE-LICKER (UK) BAJULADOR; PUXA-SACO

▶ *John's a real ass-licker at the office.*
John é um grande puxa-saco no escritório.

▷ Com o mesmo sentido, usa-se ainda *ass-kisser*, *ass-sucker* e *ass-wiper* e as formas abreviadas *a-licker*, *a-kisser*, *a-sucker* e *a-wiper*.

AWESOME IMPRESSIONANTE; LEGAL, DA HORA, ANIMAL

▶ *Your new car is really awesome!*
O teu carro novo é mesmo da hora!

▷ O significado original da palavra *awesome* é **apavorante**. Ganhou novo sentido nos anos 1990, com a popularidade do desenho animado **Teenage Mutant Ninja Turtles (As Tartarugas Ninjas)**, em que os heróis usavam muito a palavra *awesome* para indicar coisas "animais".

▶▶ *Brill! (UK)*
helluva
mean
mind-blowing
neat
(somebody or something) rocks
unreal
wicked

AYRTON (UK) 1. DEZ LIBRAS 2. UMA NOTA DE DEZ LIBRAS

▶ *Can you lend me an Ayrton till next week?*
Você pode me emprestar dez libras até semana que vem?

▷ O piloto brasileiro Ayrton Senna (1960-94), campeão de Fórmula 1, foi tão admirado pelos ingleses que eles fizeram uma rima com o sobrenome dele e a palavra coloquial *tenner*, a qual já existia para designar uma nota de dez libras. Assim, o primeiro nome do piloto ficou como gíria.

▶▶ *quid (UK)*
tenner (UK)

BABY/BABE QUERIDO(A); BENZINHO
- ▶ *Let's go, babe. It's time to go home.*
  Vamos embora, querido(a). É hora de ir para casa.
- ▷ *Baby* ou *babe*, no sentido original, é **bebê**. As duas palavras são muito usadas como termo carinhoso para com a mulher, o marido ou qualquer pessoa amada.
- ▶▶ *honey (US)*

BALLS 1. TESTÍCULOS; SACO 2. CORAGEM, NERVOS; PEITO
- ▶ *He doesn't have the balls to do that.*
  Ele não tem peito para fazer isso.
- ▷ *Balls* ganhou o sentido figurado de **coragem** porque essa qualidade representa supostamente uma característica masculina fundamental. Hoje em dia, porém, a palavra *balls* é muito usada para referir-se tanto a homens quanto a mulheres de fibra, pois todos podem ser chamados de *ballsy*, **colhudos**.
- ▶▶ *Bollocks! (UK)*
  guts

TO BARF VOMITAR; "CHAMAR O HUGO"
- ▶ *I'm going to barf.*
  Vou vomitar.
- ▷ *Barf* é uma palavra onomatopéica: seu som reproduz o da ação descrita (tal qual o **Hugo** da gíria brasileira).
- ▶▶ *to chunder (AUS)*
  (to) puke

TO BEAT OFF MASTURBAR-SE (HOMENS); BATER PUNHETA
- ▶ *All young guys beat off a lot.*
  Todos os caras jovens se masturbam muito.
- ▷ Existem centenas de outras gírias para designar essa prática. Eis apenas algumas das mais comuns: *To ball off; To jack off; To whack off; To whip off*.
- ▶▶ *finger-job*
  hand job

20

to jerk off
to jill off
to toss off (UK)
to wank (UK)

(YOU) BETCHA! "PODE APOSTAR!", "GARANTIDO!"

▶ *"Are you going to the party tonight?" "You betcha!"*
"Você vai à festa hoje à noite?" "Pode apostar!"

▷ Essa exclamação de confirmação ou acordo é uma elisão que vem da forma que se pronuncia informalmente a frase *(You) bet you* (**Pode apostar**). É uma maneira entusiástica de dizer **sim**.

BIMBO MULHER BONITA E BURRA

▶ *He went out with a lot of bimbos.*
Ele saiu com muita mulher bonita e burra.

▷ Essa palavra, ofensiva, designa geralmente uma mulher vistosa e não muito inteligente que procura um homem rico apenas por dinheiro, e não por amor.

(TO) BITCH 1. MEGERA; VACA 2. COISA PROBLEMÁTICA OU DIFÍCIL 3. RECLAMAR, FALAR MAL

▷ Megera; vaca.

▶ *My sister-in-law is a bitch.*
Minha cunhada é uma desgraçada.

▷ Coisa problemática ou difícil.

▶ *Life's a real bitch sometimes.*
A vida é muito difícil às vezes.

▷ Reclamar, falar mal.

▶ *He's always bitching about his boss.*
Ele está sempre reclamando do chefe.

▷ Do sentido original **cadela**, a palavra *bitch* se tornou um termo ofensivo para indicar uma mulher grosseira, irritante ou cruel. Por extensão, também designa qualquer coisa problemática ou desagradável – **o diabo**.

▶▶ *mother/motherfucker*
son of a bitch (US)

BITE ME! "CAI FORA!"; "VÁ PARA O INFERNO!"; "DANE-SE!"

▶ *"Stop that!" "Bite me!"*
"Pare com isso!" "Vá para o inferno!"

▷ Essa exclamação de desprezo pode ser substituída por várias outras equivalentes. Dois exemplos: *Bite my ass* (US)/*arse* (UK)*!*; *Kiss my ass* (US)/*arse* (UK)*!*

►► *Eff off!*
naff (UK)
to screw
Up yours!
V-sign

TO BLAB/BLABBER 1. TAGARELAR, FALAR MUITO 2. CONTAR SEGREDOS

▷ Tagarelar, falar muito.

► *I did try to listen, but she just kept blabbering on.*
Eu até tentei prestar atenção, mas ela matraqueava a não mais poder.

▷ Contar segredos.

► *She blabbed the whole story.*
Ela contou a história toda.

▷ Quem fala demais e/ou conta segredos é um *blabbermouth*.

►► *chinwag (UK)*
to natter (UK)
to shoot the breeze/bull (US)
to have verbal diarrhea
windbag
to yack/yak

BLOKE (UK, AUS) HOMEM; SUJEITO, CARA

► *He's a really nice bloke.*
Ele é um cara muito legal.

▷ A palavra britânica e australiana *bloke* equivale ao termo americano *guy* quando usado para referir-se a homens.

►► *dude (US)*
guy (US)
sheila (AUS)

BLOODY (UK, AUS) PALAVRA USADA PARA EXPRIMIR INTENSIDADE

► *This is bloody good!*
Isso é bom pra caramba!

▷ *Bloody* é muito usado na Grã-Bretanha e na Austrália (nesse último país, é conhecido como "o grande adjetivo australiano").

▷ Pode ser empregado também quando se está bravo ou irritado.

► *You bloody fool!*
Seu burro!

BLOW JOB FELAÇÃO; CHUPETA, CHUPADA, BOQUETE

► *She gave him a really good blow job.*

Ela lhe fez uma bela chupeta.

▷ **Chupar** pode ser traduzido como *to suck*, mas em gíria, para indicar a ação de **chupar o pênis**, usa-se o verbo *to blow*, que quer dizer **soprar, assoprar**.

►► *head*

THE BLUES ESTADO DE TRISTEZA, DEPRESSÃO

► *This bad weather gives me the blues.*
Esse mau tempo me deixa deprimido.

▷ A expressão *the blues*, no sentido de **tristeza**, deu origem àquela variedade de música americana melancólica – o blues.

BOD CORPO (DE ALGUÉM)

► *My boyfriend's got a great bod.*
Meu namorado tem um corpo ótimo.

▷ *Bod* é a forma abreviada de *body*, **corpo**.

BOG (UK) 1. BANHEIRO, TOALETE; CAGATÓRIO 2. PRIVADA

▷ Banheiro, toalete; cagatório.

► *I'm just going to the bog.*
Eu só vou ao banheiro.

▷ Privada. O significado original da palavra *bog* (**pântano, lamaçal**) explica essa gíria típica da terra da rainha Elizabeth II, onde, informalmente, também se chama **papel higiênico** de *bog paper* ou *bog roll*.

▷ Na gíria americana, **banheiro** é *the john*, *the can* ou *the head*.

►► *(to) crap*

BOLLOCKS! (UK) "BOBAGEM!"; "TOLICE!"

► *That's a load of bollocks!*
Isso é pura bobagem!

▷ Além de ser usada como interjeição, a palavra *bollocks* significa, tecnicamente, **testículos** – ou seja, *balls*, palavra que, tanto em inglês britânico quanto em inglês americano, é igualmente utilizada para dizer **Bobagem!**.

►► *balls*
bullshit
hogwash
a load/loads

BOOBS SEIOS; TETAS, PEITOS

► *She has big boobs.*
Ela tem seios fartos.

▷ Palavra usada por todos os falantes da língua inglesa, *boobs* é também um dos termos mais utilizados pelas próprias mulheres para designar seus peitos. Diz-se ainda *boobies*.

►► *hooters*
knockers
tit/titty

(TO) BOOZE 1. TOMAR BEBIDA ALCOÓLICA; TOMAR UMAS E OUTRAS 2. BEBIDA ALCOÓLICA; BIRITA

▷ Tomar bebida alcoólica; tomar umas e outras.

► *We went out boozing till early morning.*
Saímos para beber até de manhã cedo.

▷ Bebida alcoólica; birita.

► *Where's the booze?*
Cadê a bebida?

▷ Do holandês antigo *büsen* (**beber em excesso**), *(to) booze* é uma gíria inglesa usada desde o século XV para designar um dos hábitos mais populares do ser humano.

BOUNCER LEÃO-DE-CHÁCARA, SEGURANÇA DE BAR, BOATE, FESTA ETC.

► *A big bouncer stood at the entrance to the bar.*
Um baita leão-de-chácara estava em pé na entrada do bar.

▷ *Bounce* é **saltar** ou **pular**, como uma bola, e é exatamente isso que acontece com um encrenqueiro quando o segurança grandalhão do bar ou clube noturno o joga no olho da rua!

A BREEZE COISA EXTREMAMENTE FÁCIL; MOLEZA, SOPA, CANJA

► *The exam was a breeze.*
A prova foi sopa.

▷ Veja que, se uma coisa é muito fácil, ela passa tal qual *a breeze* (uma brisa)...

►► *doddle (UK)*

BRILL! (UK) "FANTÁSTICO!", "MARAVILHOSO!", "DA HORA!"

► *You must see his new film. It's brill!*
Você tem que assistir ao novo filme dele. É da hora!

▷ *Brill!*, exclamação usada principalmente por jovens britânicos, é uma forma abreviada da palavra *brilliant*, **magnífico**, **esplêndido**. O equivalente em inglês americano, *cool*, é também muito usado na Grã-Bretanha.

►► *awesome*
helluva
mean
mind-blowing

neat
(somebody or something) rocks
unreal
wicked

BROLLY (UK) GUARDA-CHUVA

▶ *Better take your brolly. I think it's going to rain.*
É melhor levar seu guarda-chuva. Acho que vai chover.

▷ *Brolly* é uma corruptela britânica da palavra *umbrella* – **guarda-chuva** –, item tão necessário em todas as estações do ano na Grã-Bretanha.

BULLSHIT PAPO FURADO, CONVERSA MOLE, BOBAGEM

▶ *That's bullshit!*
Isso é papo furado!

▷ *Bullshit* pode ser abreviada para *bull*, ou usada como a sigla *BS* ou *b.s.*

▷ Quem diz bobagem é um(a) *bullshitter* ou *bullshit artist*.

▶▶ *balls*
Bollocks! (UK)
(to) crap
hogwash
a load/loads
(to) shit

BUMF/BUMPH (UK) PAPELADA, NORMALMENTE INDESEJADA OU CHATA

▶ *We always get lots of bumf in the post.*
Sempre recebemos muita papelada chata pelo correio.

▷ Uma forma abreviada de *bum fodder*, gíria para papel higiênico hoje em desuso que, ao pé da letra, seria "forragem (*fodder*) para a bunda (*bum*)".

A BUMMER UMA EXPERIÊNCIA RUIM, FRUSTRANTE, IRRITANTE, TRISTE; BODE

▶ *It rained all weekend at the beach. It was a real bummer.*
Choveu todo fim de semana na praia. Foi um bode.

▷ Usada originariamente para designar uma experiência desagradável com drogas (o LSD, por exemplo), a expressão a *bummer* indica agora qualquer experiência ruim.

▶▶ *a non-event*

BUTT NÁDEGAS; RABO, BUNDA, TRASEIRO

▶ *Get off your butt and go and do some work!*
Levante a bunda e vá trabalhar!

▷ *Butt* é forma abreviada da palavra *buttock*, **nádega**. Quem não se lembra da série de desenhos animados **Beavis & Butthead**, da MTV (anos 1990), que tornou célebre a palavra *butthead*? Ao pé da letra, ela significa "cabeça de bunda", indicando **qualquer pessoa idiota ou detestável**.

▸▸ *ass (US)/arse (UK)*
bumf/bumph (UK)
fanny
tush (US)

(A) BUZZ TELEFONEMA, CHAMADA TELEFÔNICA; UM FIO

▸ *Give me a buzz tomorrow.*
Ligue-me amanhã.

▷ Essa gíria vem do sentido original da palavra *buzz* – o zumbido de um inseto como a abelha.

CAN IT! "CALE A BOCA!"

- ▶ *For God's sake, can it!*
  Pelo amor de Deus, cale a boca!
- ▷ Ao pé da letra, essa forma pouco educada de pedir a alguém que pare de falar significa "Meta na lata!".
- ▶▶ *Shut your mouth/face/trap/gob (UK)!*

CHEERS (UK) 1. "OBRIGADO" 2. TCHAU, ATÉ LOGO

- ▷ "Obrigado".
- ▶ *"I've already paid for our lunch." "Cheers, mate."*
  "Eu já paguei o nosso almoço." "Obrigado, amigo."
- ▷ Tchau, até logo.
- ▶ *"I'm going now." "Cheers, then. See you tomorrow."*
  "Agora vou embora." "Tchau, então. Até amanhã."
- ▷ A saudação inglesa *Cheers!* é conhecida e usada por todos no sentido de **Saúde!**, quando dita antes de tomar-se uma bebida alcoólica.
- ▶▶ *Ta (UK)*
  Ta-ta (UK)

CHEESY INFERIOR, MALFEITO; CAFONA, BREGA

- ▶ *She was wearing a pair of really cheesy shoes.*
  Ela estava usando um sapato bem brega.
- ▷ Em inglês, qualquer coisa considerada ruim e ordinária é *cheesy*, tal qual um queijo (*cheese*) barato de cheiro desagradável...
- ▶▶ *icky (US)*
  naff (UK)
  tacky

CHICK MULHER, MOÇA, GAROTA; MINA, GATA

- ▶ *Let's take some chicks to the party.*
  Vamos levar algumas garotas para a festa.
- ▷ O sentido original da palavra *chick* é **pintinho, passarinho recém-saído do ovo**. Nenhuma mulher, portanto, vai sentir-se exatamente lisonjeada se você usar essa gíria para referir-se a ela.

▶▶ *sheila (AUS)*

TO CHILL/TO CHILL OUT RELAXAR, DESCANSAR; FICAR FRIO

▶ *I'm just going to chill this evening.*
Eu só vou relaxar hoje à noite.

▷ *To chill* significa **esfriar**. Informalmente, quer dizer **ficar frio**, no sentido de relaxar completamente, ou de não deixar nada esquentar a cabeça. Exemplo:

▶ *Chill out! I'm sure he'll come.*
Fique frio! Tenho certeza de que ele vem.

▶▶ *to veg out*

CHINWAG (UK) BATE-PAPO, CONVERSA INFORMAL

▶ *It was good to see you again and have a good old chinwag.*
Foi ótimo te ver de novo e bater um bom papo.

▷ Ao pé da letra, *chinwag* quer dizer "sacudir o queixo".

▶▶ *to blab/blabber*
to natter (UK)
to shoot the breeze/bull (US)
to have verbal diarrhea
windbag
to yack/yak

CHUFFED (UK) CONTENTÍSSIMO, MUITO SATISFEITO, MUITO FELIZ

▶ *I was really chuffed with the news.*
Eu fiquei felicíssimo com a novidade.

▷ Originariamente, *chuffed* significava **gordo**, **rechonchudo**. E, pensando bem, quem está superfeliz e sorridente também fica de rosto cheio, bochechudo...

TO CHUNDER (AUS) VOMITAR; CHAMAR O HUGO

▶ *He ran out of the pub and chundered in the gutter.*
Ele saiu correndo do bar e vomitou na sarjeta.

▷ A palavra vem de uma elipse criativa da frase *Watch under!* (**Cuidado aí embaixo!**). Segundo consta, era a advertência que as pessoas com vontade de vomitar gritavam da amurada dos navios para avisar os passageiros do convés inferior.

▶▶ *to barf*
(to) puke

CLOUT INFLUÊNCIA, PODER

▶ *The government has very little political clout on this matter.*
O governo tem muito pouca influência política nesse assunto.

▷ Do sentido original, **golpe**, **pancada**, **bofetão**, a palavra *clout* passou à gíria para indicar a autoridade de tomar decisões, ou o poder de influenciar.

COCK PÊNIS; PINTO, PAU

▶ *Men usually give nicknames to their own cocks.*
Os homens costumam dar apelidos ao próprio pênis.

▷ *Cock* é o **galo** ou **macho** de qualquer ave. Por extensão...

▶▶ *dick*
pecker
prick

(TO) COME 1. CHEGAR AO ORGASMO; GOZAR 2. ESPERMA; PORRA

▷ Chegar ao orgasmo; gozar.

▶ *He took a long time to come.*
Ele demorou muito para gozar.

▷ Esperma; porra.

▶ *There were some come stains on her dress.*
Havia algumas manchas de esperma no vestido dela.

▷ *To come*, no sentido de **gozar**, é uma forma abreviada da expressão *to come to a climax*, **ter um orgasmo**.

▷ No sentido de **esperma**, também se grafa *cum*.

(TO) CON 1. TRAPACEAR, ILUDIR 2. TRAPAÇA, CONTO-DO-VIGÁRIO

▷ Trapacear, iludir.

▶ *He conned her into believing he was rich.*
Ele a iludiu para fazê-la acreditar que era rico.

▷ Trapaça, conto-do-vigário.

▶ *Miriam fell for his con.*
Miriam caiu no conto-do-vigário que ele lhe aplicou.

▷ *Con* é uma abreviação da palavra *confidence*, **confiança**. O vigarista, que tenta iludir pessoas e abusar da **confiança** (boa-fé), é denominado *confidence trickster*, *con man* ou *con artist*.

(TO) CRAP 1. EVACUAR, DEFECAR; CAGAR 2. MERDA, BOSTA 3. BOBAGEM, PORCARIA

▷ Evacuar, defecar; cagar.

▶ *I need to take a crap.*
Eu preciso cagar.

▷ Merda, bosta.

▶ *There was a pile of dog crap in the garden.*
Havia um montinho de merda de cachorro no jardim.
▷ Bobagem, porcaria.
▶ *I don't need this crap!*
Eu não preciso dessa merda!
▷ Informalmente, privada é *the crapper*.
▶▶ *bog (UK)*
dump
a load/loads
the runs
(to) shit

TO CRASH ENTRAR NUMA FESTA OU OUTRO EVENTO SEM CONVITE; DAR UMA DE PENETRA

▶ *They tried to crash the party, but couldn't get in.*
Eles tentaram entrar de penetras na festa, mas não conseguiram.
▷ *To crash* vem de *to gatecrash*, que, ao pé da letra, significa "quebrar o portão".
▷ Quem entra em festa ou evento sem convite ou ingresso é um *gatecrasher*, **penetra**.

(NOT BE YOUR) CUP OF TEA ESPECIALIDADE, GOSTO, PREFERÊNCIA; PRAIA

▶ *Thanks for the invitation, but opera really isn't my cup of tea.*
Obrigado pelo convite, mas ópera não é das coisas de que eu mais gosto.
▷ Para os ingleses, uma xícara de chá é um prazer fortificante garantido. Portanto, quando eles não gostam de alguém ou de algo, ou não os acham interessantes, dizem, literalmente, que esse alguém ou algo "não é sua xícara de chá". Equivale à expressão brasileira **Não é a minha praia**.

DICK 1. PÊNIS; PINTO, PAU 2. IMBECIL, IDIOTA

▷ Pênis; pinto, pau.
▶ *Trouble is, he always thinks with his dick.*
O problema é que ele sempre pensa com a cabeça errada.
▷ Imbecil, idiota.
▶ *He's such a dick!*
Ele é tão imbecil!
▷ Para xingar uma pessoa, geralmente um homem, de incompetente, imbecil, além da palavra *dick*, o termo *dickhead*, ao pé da letra, "cabeça de pinto", é também bastante popular em inglês.
▶▶ *asshole (US)/arsehole (UK)*
cock
pecker
prick
runt
schlep/schmuck (US)
scumbag
tosser (UK)
twat
wanker (UK)

DIDDLY (US) NADA, ZERO; NECAS DE PITIBIRIBA

▶ *She doesn't know diddly about computers.*
Ela não sabe nadinha sobre computadores.
▷ Usa-se também *diddly-squat* e, ofensivamente, *diddly-shit*.
▶▶ *jack shit (US)*
zip (US)

DINKY PEQUENO, INSIGNIFICANTE

▶ *He lives in a really dinky apartment.*
Ele mora num apartamentinho de nada.
▷ Nos Estados Unidos, *dinky* sugere algo negativo. Na Grã-Bretanha, a palavra tem conotação positiva, de algo pequeno mas encantador, gracioso. Exemplo:

► *The baby has dinky little toes.*
O nenê tem dedinhos pequenininhos (e bonitinhos).
►► *piddling*

DIRT CHEAP BARATÍSSIMO

► *This new T-shirt was dirt cheap.*
Essa nova camiseta foi baratíssima.
▷ *Dirt cheap* se refere a qualquer coisa tão barata (*cheap*) quanto lama, poeira, sujeira (*dirt*).

TO DISS/DIS (US) DESRESPEITAR; DESACATAR

► *Don't diss me, man!*
Não me desrespeite, cara!
▷ *to diss/dis* significa falar ou se comportar de forma insolente, sem respeito, e é a forma abreviada do verbo *to disrespect*, **desrespeitar**.
►► *sassy (US)*

DODDLE (UK) TAREFA EXTREMAMENTE FÁCIL; MOLEZA, SOPA, CANJA

► *The driving test was a doddle.*
O exame de motorista foi moleza.
▷ *Doddle* pode ter origem no verbo *to toddle*, que quer dizer **andar como criança**, embora, para uma criança, caminhar com aqueles primeiros passos incertos não seja nada mole, não!
►► *a breeze*

D'OH!/D'UH! UH! IH!

► *Say "cheese" everybody... No, wait! I forgot to put a film in the camera! D'oh!*
Todos digam "xis"... Não, esperem! Esqueci de colocar um filme na máquina! Uh!
▷ *D'oh!* é usado quando alguém se sente um idiota, normalmente após ter falado ou feito algo imbecil. A expressão ficou famosa com Homer Simpson, do desenho animado da televisão **The Simpsons**.

TO DOLL (YOURSELF) UP VESTIR(-SE), PRODUZIR(-SE), PARA FICAR ATRAENTE; EMBONECAR-SE

► *Let's doll ourselves up and go out dancing.*
Vamos nos produzir e sair para dançar.
▷ *To doll up* significa arrumar(-se) como se faz a uma boneca (*doll*). Ou seja, **embonecar(-se)**. A expressão pode ser usada tanto para homens quanto mulheres, sem nenhuma conotação pejorativa.

DORK PESSOA CHATA E/OU CRETINA; PANACA

► *His brother is a real dork!*

O irmão dele é muito panaca!

▷ Uma pessoa é xingada de *dork* principalmente quando seu comportamento ou suas roupas, ou ambas as coisas, não são considerados da moda ou de bom gosto.

DOSH (UK) DINHEIRO; GRANA, MUFUNFA

▶ *How much dosh have you got?*
Quanta grana você tem?

▷ *Dosh* é uma gíria tipicamente britânica e costuma confundir os americanos.

▶▶ *dough*

DOUGH DINHEIRO; GRANA, MUFUNFA

▶ *I need some dough for the shopping.*
Eu preciso de grana para as compras.

▷ No sentido original, *dough* é aquela massa de farinha, água, manteiga etc., usada para fazer pães ou tortas.

▶▶ *dosh (UK)*

DOWN UNDER AUSTRÁLIA, NOVA ZELÂNDIA

▶ *This is my friend from down under.*
Este é meu amigo da Austrália (ou Nova Zelândia).

▷ Nas representações convencionais do globo terrestre, a Austrália e a Nova Zelândia se localizam no lado oposto, "embaixo" (*down under*), da Grã-Bretanha.

▶▶ *oz (UK)*

DRAMA QUEEN PESSOA ESCANDALOSA, EXAGERADA, NERVOSA, EXIGENTE DEMAIS; FRICOTEIRO

▶ *He's such a drama queen!*
Ele é tão fricoteiro!

▷ Na gíria gay, *queen* é **bicha**. A bicha louca e estereotipada que dá escândalo é uma *drama queen*. A expressão passou para o uso geral para indicar qualquer pessoa ansiosa e complicada que considera tudo uma catástrofe e se preocupa com ninharias, dando importância exagerada às coisas e agastando-se à toa.

▶▶ *queen*

DUDE (US) HOMEM; CARA

▶ *Mike's a really cool dude.*
Mike é um cara muito legal.

▷ Antigamente, *dude* era o grã-fino que tinha postura, posição e "atitude". Foi essa última palavra, em inglês *attitude*, que deu origem a *dude*.

►► *bloke (UK, AUS)*
  guy (US)
  sheila (AUS)

DUMP EXCREÇÃO, EVACUAÇÃO; BARRO, CAGADA

► *I need to take a dump.*
  Eu preciso cagar.
▷ *To dump* é o ato de descarregar um monte de lixo ou entulho. Na gíria, designa a expulsão do "lixo humano" (fezes) pelo ânus.
►► *bog (UK)*
  (to) crap
  the runs
  (to) shit

DYKE/DIKE LÉSBICA; SAPATÃO

► *Who's that dyke at the bar?*
  Quem é aquela sapatão no bar?
▷ *Dyke* é um termo ofensivo.
►► *AC/DC*
  drama queen
  fag/faggot
  gaydar
  poof/poofter (UK)
  queen
  queer

AN EARFUL REPRIMENDA, RECLAMAÇÃO, XINGAMENTO

▶ *My wife gave me an earful when I got home late.*
Minha mulher me xingou muito quando cheguei tarde em casa.
▷ Literalmente, *an earful* significa "ouvido cheio"...

EASY

▶▶ *I'm easy*

ON EASY STREET BEM DE VIDA, RICO, SEM PREOCUPAÇÕES MATERIAIS

▶ *John's definitely on easy street these days.*
Com certeza, John está bem de vida hoje em dia.
▷ Ao pé da letra, "na rua fácil", mas, como se vê, a expressão não tem nada a ver com as moças de vida fácil que trabalham na rua...

I COULD EAT A HORSE "ESTOU FAMINTO, ESFOMEADO, MORTO DE FOME"

▶ *I'm so hungry I could eat a horse.*
Estou com tanta fome que poderia comer um boi.
▷ Literalmente, *I could eat a horse* significa "Eu poderia comer um cavalo". Não que a carne de cavalo faça parte da culinária dos ingleses. (Ao contrário: eles têm verdadeira veneração por esse bicho.) Essa expressão pitoresca é usada jocosamente para indicar que a pessoa está com tanta fome, e seu desespero é tanto, que ela comeria até a última coisa que normalmente aceitaria comer. A idéia também se refere ao tamanho do cavalo e seria o equivalente da expressão portuguesa: "Eu estou com tanta fome que poderia comer um boi".

WHAT'S EATING SOMEBODY? O QUE ESTÁ PREOCUPANDO, IRRITANDO, INCOMODANDO (ALGUÉM)?

▶ *What's eating her? She looks as if she's angry.*
O que a está incomodando? Ela parece zangada.
▷ Cuidado com a tradução literal "O que está comendo alguém?". Embora a gíria *to eat* signifique fazer **sexo oral na mulher**, quem pergunta aquilo só quer saber por que alguém (não necessariamente do sexo feminino) está aborrecido.

EFF OFF! "CAI FORA!"

▶ *Eff off! You're annoying me.*
Cai fora! Você está me irritando.

▷ *Eff off!* é um eufemismo para a exclamação vulgar *Fuck off!*, como se o falante fosse pronunciar só a primeira letra de *fuck*, o **f**.

▷ Quando se quer enfatizar algo, ou se está irritado, existe também o adjetivo *effing*, alternativa um pouco menos ofensiva que o palavrão *fucking*. Exemplo:

▶ *He's such an effing bore!*
Ele é chato pra caramba!

▶▶ *Bite me!*
(to) fuck
naff (UK)
to screw
Up yours!
V-sign

EXPAT PESSOA MORANDO EM OUTRO PAÍS

▶ *There are lots of American expats in Rio.*
Há muitos americanos morando no Rio.

▷ *Expat* é uma forma abreviada da palavra inglesa *expatriate*, que simplesmente designa alguém que foi morar em outro país ou viaja para o exterior por muito tempo. É diferente da palavra portuguesa **expatriado**, que significa **deportado** ou **exilado**.

AN EYEFUL PESSOA OU COISA MUITO ATRAENTE

▶ *Gisele is quite an eyeful!*
Gisele é muito atraente!

▷ O termo *an eyeful* (ao pé da letra, "olho cheio", ou seja, algo que enche os olhos) é usado para referir-se a qualquer pessoa ou coisa visivelmente atraente, sobretudo uma moça bonita e sexy.

▶▶ *fit (UK)*
fox
hunk
juicy
yummy

(TO HAVE) A FACE LIKE THE BACK (END) OF A BUS (UK) PESSOA MUITO FEIA, HORROROSA

- ▶ *She's got a face like the back of a bus.*
  Ela é muito feia.
- ▷ Expressão pitoresca tipicamente britânica. Literalmente, significa "ter a cara parecida com uma traseira de ônibus".

TO FAFF ABOUT/AROUND (UK) EMBROMAR, ENROLAR

- ▶ *Stop faffing about. Come here and help me.*
  Pare de enrolar. Venha pra cá e me ajude.
- ▷ A expressão tem origem numa palavra onomatopéica, hoje em desuso: *to faffle*, **gaguejar**, ou seja, "enrolar" na fala.
- ▶▶ *(to) fart*

FAG/FAGGOT 1. HOMOSSEXUAL MASCULINO; BICHA, VEADO 2. CIGARRO (UK, AUS)

- ▷ Homossexual masculino; bicha, veado.
- ▶ *One thing is certain: if he calls me a faggot again, I'll smash his face in.*
  Uma coisa é certa: se tornar a me chamar de veado, eu quebro a cara dele.
- ▷ Cigarro (UK, AUS).
- ▶ *I need to buy a packet of fags.*
  Preciso comprar um maço de cigarros.
- ▷ Muito cuidado! Na Inglaterra e na Austrália, filar um cigarro, por exemplo, seria *to bum a fag*. Já nos Estados Unidos, essa mesma frase inocente teria sentido completamente diferente: **enrabar um veado!**
- ▶▶ *AC/DC*
  drama queen
  dyke/dike
  gaydar
  poof/poofter (UK)
  queen
  queer

FAIR DINKUM (AUS) VERDADEIRO, HONESTO, JUSTO, SINCERO (ENFÁTICO); "SÉRIO? VERDADE?"

- ▷ Verdadeiro, honesto, justo, sincero (enfático).

- *This is a fair dinkum Aussie expression.*
  Essa é uma expressão verdadeiramente australiana.
- ▷ "Sério? Verdade?".
- *"John's getting married next week." "Fair dinkum?"*
  "John vai se casar na semana que vem." "Sério? Verdade?"

TO FANCY QUERER, GOSTAR; ESTAR A FIM

- *What do you fancy doing this evening?*
  O que você está a fim de fazer hoje à noite?
- ▷ Em inglês britânico, além de significar **querer** no sentido geral, esse verbo significa **desejar alguém**. Exemplo:
- *Do you fancy her?*
  Você tá a fim dela?

FANNY 1. NÁDEGAS; BUNDA (US) 2. VAGINA; XOXOTA (UK)

- ▷ Nádegas; bunda (US).
- *I fell, and my fanny is sore.*
  Caí e fiquei com a bunda doída.
- ▷ Vagina; xoxota (UK).
- *It's rude to talk about someone's fanny.*
  É mal-educado falar da xoxota de alguém.
- ▷ Vê-se que essa palavra, inocente nos Estados Unidos, torna-se ofensiva na Grã-Bretanha. Assim, pode-se imaginar a reação horrorizada dos ingleses quando um ianque desavisado se refere ingenuamente a sua **pochete**, que, em inglês americano, é *fanny pack*. (Na gíria britânica, esse acessório chama-se *bum bag*, literalmente "bolsa de bunda".)
- ▶▶ *ass (US)/arse (UK)*
  bumf/bumph (UK)
  butt
  pussy
  tush (US)
  twat

(TO) FART 1. EXPELIR GASES INTESTINAIS, PEIDAR 2. PEIDO

- ▷ Expelir gases intestinais, peidar.
- *Someone farted in here! Who was it?*
  Alguém peidou aqui dentro! Quem foi?
- ▷ Peido.
- *A fart is a combination of gases that travel from the stomach to the anus.*
  O pum é uma combinação de gases que viajam do estômago para o ânus.
- ▷ Na gíria inglesa, **perder tempo fazendo coisas desnecessárias ou sem im-**

portância, ou seja, **enrolar**, **embromar**, é *to fart about* ou *to fart around*. E uma pessoa chata que não merece respeito é *an old fart*.

▶▶ *artsy-fartsy (US)/arty-farty (UK)*
to faff about/around (UK)

FAT CHANCE! "SEM CHANCE!"; "NEM PENSAR!"

▶ *"Do you think she'll let you go?" "Fat chance!"*
"Você acha que ela vai deixar você ir?" "Sem chance!"

▷ Ao pé da letra, *fat chance* é "chance gorda". Curiosamente, quando há pouca probabilidade de alguma coisa, usa-se também *slim chance*, "chance magra".

FINGER-JOB MASTURBAÇÃO FEMININA

▶ *Angela likes to have a finger-job.*
Angela gosta de masturbação.

▷ *Finger-job* significa literalmente "trabalho de dedo". Diz-se também *finger-fuck* para designar a excitação da vagina ou clitóris feita com o(s) dedo(s).

▶▶ *to beat off*
hand job
to jerk off
to jill off
to toss off (UK)
to wank (UK)

FISHY SUSPEITO, IMPROVÁVEL, DUVIDOSO

▶ *That sounds a bit fishy to me.*
Isso me parece um pouco suspeito.

▷ Esse adjetivo faz uma analogia com o cheiro (nada agradável) de peixe podre.

FIT (UK) SEXUALMENTE ATRAENTE; UM TESÃO

▶ *I met this really fit guy last night.*
Ontem à noite, eu conheci um cara que é um tesão.

▷ O sentido convencional de *fit* é **saudável**.

▶▶ *an eyeful*
fox
hunk
juicy
yummy

TO FLOG VENDER; PASSAR ADIANTE

▶ *I'm trying to flog my old computer.*
Estou tentando passar adiante o meu computador velho.

▷ Originariamente gíria de criminosos para a venda de muamba e produtos roubados, o verbo *to flog* adquiriu o sentido geral (muito comum na Grã-Bretanha) de vender qualquer coisa, em especial quando se quer fazê-lo depressa e barato.

(TO) FLOP 1. FRACASSAR; DAR COM OS BURROS N'ÁGUA 2. FRACASSO

▷ Fracassar; dar com os burros n'água.

► *He tried to seduce her, but flopped miserably.*
Ele tentou conquistá-la, mas deu com os burros n'água.

▷ Fracasso.

► *His latest movie was a complete flop.*
Seu último filme foi um fracasso total.

▷ Do sentido original (**deixar-se cair pesadamente, baquear**), o verbo *to flop* passou a significar **fracassar** em qualquer sentido.

►► *(to go) down the pan*

TO FLUMMOX DESCONCERTAR, CONFUNDIR, PASMAR

► *His question flummoxed me.*
A pergunta dele me confundiu.

▷ O particípio passado *flummoxed* é usado como adjetivo para significar **pasmado, extremamente confuso**. Exemplo:

► *I was completely flummoxed and didn't know what to say.*
Fiquei completamente pasmado e não soube o que dizer.

TO FLUNK SER REPROVADO EM EXAME; BOMBAR, LEVAR PAU

► *He flunked his math exam.*
Ele foi reprovado no exame de matemática.

FLUSH ABONADO; CHEIO DA GRANA

► *I'm feeling flush. Let me invite you for an expensive dinner.*
Eu estou me sentindo rico. Deixe-me convidar você para um jantar caro.

▷ Usa-se *flush* quando se está com muito mais dinheiro que o normal. A gíria vem do verbo *to flush*, **jorrar, transbordar**, e da imagem do bolso **transbordante** de dinheiro.

►► *loaded*
rolling in it

FOX PESSOA ATRAENTE, SEXY; GATA (MULHERES), PEDAÇÃO

► *Cameron Diaz is a fox.*
Cameron Diaz é uma gata.

▷ A palavra é normalmente usada para referir-se a mulheres.

▷ O adjetivo derivado dessa palavra é *foxy*. Exemplo:

► *She's a really foxy woman.*
Ela é uma mulher muito sexy.

►► *an eyeful*
fit
hunk
juicy
yummy

-FREAK FÃ, ADMIRADOR, ENTUSIASTA, APAIXONADO; FISSURADO

► *He's a real surf-freak.*
Ele é um apaixonado pelo surfe.

▷ A palavra *freak* se combina com outras palavras para qualificar uma pessoa extremamente interessada em determinada atividade ou assunto. Outros exemplos: *health-freak*; *fitness-freak*; *computer-freak*; *eco-freak*.

►► *into*

FREEBIE ALGO GRATUITO; BRINDE

► *I have hundreds of pens – all freebies.*
Tenho centenas de canetas – todas brindes.

▷ A palavra *freebie* é usada principalmente para designar amostras e viagens gratuitas e todo tipo de brinde promocional.

FRIGGING MALDITO, DANADO

► *You frigging idiot!*
Seu maldito imbecil!

▷ Usada para enfatizar uma expressão de aborrecimento ou raiva, *frigging* é eufemismo para uma palavra extremamente ofensiva – *fucking*.

►► *(to) fuck*

(TO) FUCK 1. FAZER SEXO; TREPAR, TRANSAR 2. COITO; TREPADA

▷ Fazer sexo; trepar, transar.

► *She fucked him all night.*
Ela transou com ele a noite toda.

▷ Coito; trepada.

► *It was a lousy fuck.*
Foi uma transa muito ruim.

▷ O termo *fuck* é uma gíria-tabu extremamente ofensiva, mas muito comum no inglês do dia-a-dia. Além de significar **trepar** ou **trepada**, é usada quando se quer enfatizar algo ou se está irritado ou aborrecido. Seguem alguns exemplos:

- ► *Fuck!*
  Droga!
- ► *Fuck off!*
  Cai fora!
- ► *Fuck you!*
  Foda-se!
- ► *Fucked.*
  Fodido.
- ► *Fuck all/sweet fuck all.*
  Porra nenhuma.
- ► *Don't fuck with me!*
  Não mexa comigo!
- ► *I don't give a fuck!*
  Eu não ligo a mínima!
- ► *What the fuck do you want?*
  Que porra você está querendo?
- ▷ O adjetivo *fucking*, maldito, também é usado como reforço vulgar.
- ► *Fucking hell!*
  Porra, meu!
- ► *I hate this fucking city!*
  Eu odeio esta maldita cidade!
- ▷ Mas nem sempre *fucking* tem uma conotação vulgar ou negativa. Exemplo:
- ► *It was a fucking good party!*
  Foi uma puta festa!
- ▷ E muitas vezes se criam expressões engraçadas, destes tipos:
- ► *This is fan-fucking-tastic!*
  Isso é bom pra cacete!
- ► *You're abso-fucking-lutely right!*
  Você está completamente certo!
- ►► *Eff off!*
  frigging
  to hump
  to make it with somebody
  mother/motherfucker
  nookie/nooky
  to score
  to screw
  to shag (UK)

FUCKING

►► *(to) fuck*

GAYDAR "DETECTOR DE GAYS"

▶ *Is your gaydar switched on?*
O seu detector de gays está ligado?

▷ *Gaydar* é uma invenção criativa, formada das palavras *gay* e *radar*, e designa a "percepção sensorial especial" que o homossexual tem para reconhecer outros gays.

▶▶ *AC/DC*
drama queen
dyke/dike
fag/faggot
poof/poofter (UK)
queen
queer

G'DAY! (AUS) "OLÁ!"; "OI!"

▶ *G'day, mate!*
Oi, amigo!

▷ Em inglês australiano, o cumprimento mais usado, de manhã ou à tarde, é *good day*, falado como *g'day!*.

GET A LIFE! "VÁ DAR UM JEITO NA VIDA!"

▶ *What! You stay at home watching TV on Saturday night? Get a life, John!*
O quê!? Você fica em casa assistindo TV sábado à noite? Dê um jeito nessa sua vida, John!

▷ *Get a life!*, literalmente "Arrume uma vida!", é uma expressão que se usa quando se quer convencer uma pessoa enfadonha a mudar radicalmente de vida e fazer algo mais interessante ou empolgante.

TO GET YOUR KNICKERS IN A TWIST FICAR AFLITO, NERVOSO, IRRITADO, CONFUSO

▶ *Calm down! Don't get your knickers in a twist.*
Calma! Não fique nervoso.

▷ *Knickers* é gíria para **calcinha**, a roupa íntima feminina, mas essa expressão jocosa (literalmente, "ficar com as calcinhas emaranhadas, enroladas") é usada tanto para mulheres quanto para homens que ficam exageradamente nervosos ou confusos.

►► *antsy/(to have) ants in your pants*
pants (UK)
in a tizz/tizzy
undies

GIG APRESENTAÇÃO DE MÚSICA EM PÚBLICO

► *Live gigs are always the best.*
Apresentações de música ao vivo são sempre as melhores.

▷ *Gig* refere-se a apresentação de um artista ou banda de música, principalmente de rock, pop ou jazz. Usa-se também o verbo *to gig* ou *to play a gig/ to do a gig*. Exemplo:

► *The Stones are doing/playing a gig in London next week.*
Os Stones vão fazer uma apresentação em Londres na semana que vem.

GIVE ME FIVE! "BATE AQUI NA MÃO!"

► *Give me five, man!*
Bate aqui (na mão), cara!

▷ Informalmente, quando se quer comemorar algo ou fechar um acordo, costuma-se bater a palma da mão aberta contra a mão aberta de outra pessoa. Para convidar alguém a fazer isso, diz-se *Give me five!* – ao pé da letra, "Dê-me cinco", ou seja, os cinco dedos da mão.

▷ O ato de levantar a mão e bater a palma contra a de outra pessoa chamase *high five.*

TO GIVE SOMEBODY A BREAK DAR UM TEMPO; PARAR DE CRITICAR

► *Oh, give me a break! I'm trying to do my best.*
Ah, dá um tempo! Estou tentando fazer o melhor possível.

▷ Usa-se essa expressão quando se está irritado com o que alguém diz ou faz, ou quando não se acredita que a pessoa falou a verdade.

GOB (UK) BOCA

► *Just keep your gob shut if she asks.*
Simplesmente fique de boca calada se ela perguntar.

▷ *Gobsmacked* é gíria para **boquiaberto, pasmado.** *To smack* significa, entre outras coisas, **dar uma palmada**, e a alusão é ao costume de colocar a palma da mão sobre boca quando se está abismado.

▷ Da mesma origem, existe o verbo informal *to gab*, **tagarelar, falar muito,** usado tanto pelos britânicos quanto pelos americanos. Uma expressão muito comum é *the gift of the gab*, que significa **o dom, a facilidade para falar e convencer. Ou seja, a lábia...**

▸▸ *Can it!*
Shut your mouth/face/trap/gob (UK)!
smacker/smackeroo

GOGGLE-EYED COM OS OLHOS ARREGALADOS

▸ *He just stood there goggle-eyed.*
Ele só ficou lá em pé, com os olhos arregalados.
▷ O verbo informal *to goggle* significa **arregalar os olhos**, e *goggles* são **óculos de proteção** ou **óculos de natação**, que deixam os olhos esbugalhados.

GOODIES GULODICES, GULOSEIMAS

▸ *There were lots of goodies at the party.*
Havia muitas guloseimas na festa.
▷ Em inglês informal, *goodies* são em geral coisas que dão muito prazer, sobretudo guloseimas. Os saquinhos com doces e pequenos presentes que as crianças costumam receber em festas chamam-se *goody bags*.

GOOD ON YOU! (AUS) "VALEU!"

▸ *Good on you, mate!*
Valeu, amigo!
▷ Essa exclamação de aprovação ou agradecimento típica da Austrália usa-se também na Irlanda, mas, curiosamente, não é empregada em nenhum outro país de língua inglesa.

GOOF 1. ERRO CRASSO; MANCADA 2. BOBO, PATETA (SUBSTANTIVO)

▷ Erro crasso; mancada.
▸ *She made a real goof at the meeting.*
Ela deu uma baita mancada na reunião.
▷ Bobo, pateta (substantivo).
▸ *I know Adam seems a bit of a goof, but in fact he is quite smart.*
Sei que Adam parece meio pateta, mas na verdade ele é bastante inteligente.
▷ Informalmente, uma pessoa tonta pode também ser chamada de *goofball*.
▷ O adjetivo é *goofy*, **apatetado**.
▸▸ *airhead*
dork
jerk
a lemon
nitwit
pea-brain
to screw up
thick

TO GO POSTAL (US) PERDER CONTROLE DE SUAS EMOÇÕES, FICAR DESVAIRADO, ENLOUQUECER

► *I felt so angry I thought I'd go postal.*
Eu fiquei tão bravo que pensei que fosse enlouquecer.

▷ Durante os anos 1990, nos Estados Unidos, houve uma onda de assassinatos em massa de funcionários dos correios. Os homicidas pirados eram os próprios colegas de trabalho, descontentes com o serviço. Assim nasceu a expressão *to go postal*.

GROTTY (UK) DESAGRADÁVEL, DE MÁ QUALIDADE, RUIM; CHINFRIM, CHULÉ

► *We stayed at a grotty little hotel.*
Ficamos num hotelzinho chinfrim.

▷ Essa palavra nasceu na Inglaterra nos anos 1960, época dos Beatles. É uma forma abreviada de *grotesque*, **grotesco**. *Grotty* pode referir-se a qualquer coisa ruim ou indesejável, e muitas vezes tem a conotação de **sujo, nojento**.

►► *icky (US)*
lousy
pants (UK)
ropey/ropy (UK)
rotten
(somebody or something) sucks (US)
Yuck!/yucky

GROUPIE FÃ, TIETE

► *Her mother was a groupie when she was a teenager.*
A mãe dela era tiete na adolescência.

▷ No sentido original, *groupie* é a pessoa que é apaixonada por uma banda (*group*) e que a segue nas viagens, tentando conhecer os músicos pessoalmente e muitas vezes se oferecendo para fazer sexo com eles. Hoje, porém, o termo é utilizado jocosamente para designar qualquer fã, partidário ou admirador entusiástico de uma pessoa ou pessoas famosas.

GRUB COMIDA; RANGO, BÓIA

► *Come on, guys. Grub's up.*
Vamos, gente. O rango tá pronto.

▷ Os britânicos não são muito elogiados pela culinária, mas têm um tipo de comida delicioso e imperdível: a *pub grub*, aquela preparada e servida nos pubs. Vale a pena conferir!

GUTS CORAGEM; PEITO

► *It takes a lot of guts to do what she did.*
É preciso de muita coragem para fazer o que ela fez.

▷ O sentido figurado de *guts*, **coragem**, veio do significado original, **estôma-go**, **intestino**, **vísceras**. Há também várias expressões informais com essa palavra. Alguns exemplos:

▶ *To work your guts out.*
Trabalhar muito, dar duro.

▶ *To hate somone's guts.*
Detestar alguém.

▶ *To bust a gut doing something.*
Esforçar-se ao máximo para conseguir algo.

▶▶ *balls*

GUY (US) HOMEM; CARA, SUJEITO

▶ *Adriano's a really nice guy.*
Adriano é um cara muito legal.

▷ A palavra é muito usada no plural – *guys* – para falar a um grupo de pes-soas, não importando o sexo. Exemplo:

▶ *Let's go, guys!*
Vamos, gente!

▶▶ *bloke (UK, AUS)*
dude (US)
sheila (AUS)

HAIRY PERIGOSO, ARRISCADO, ASSUSTADOR

▶ *There are some really hairy rides at the amusement park.*
Há alguns brinquedos de meter medo no parque de diversões.

▷ Na origem, a palavra *hairy* significa **cabeludo, peludo**. Informalmente, é usada para qualquer coisa que dá medo e "deixa o cabelo em pé", em especial algo perigoso ou assustador, mas também excitante e emocionante.

HALF-ASSED (US)/HALF-ARSED (UK) INCOMPETENTE, INEFICIENTE, DESLEIXADO, DESCUIDADO (ADJETIVO); LAMBÃO

▶ *She made a really half-assed attempt to finish, but gave up.*
Ela fez uma tentativa bem lambona de terminar, mas desistiu.

▷ Quem faz as coisas nas coxas, faz pela metade (*half*). Em gíria, para criticar esse jeito desleixado e enfatizar a desaprovação, acrescenta-se a palavra *assed*, um adjetivo derivado do substantivo *ass/arse* (**bunda**).

▷ Com o mesmo sentido, diz-se também *half-baked*, que, ao pé da letra, significa "assado só pela metade".

▶▶ *ass (US)/arse (UK)*
slob

HAMMERED COMPLETAMENTE BÊBADO; DE PORRE, BAQUEADO

▶ *She got hammered at the party.*
Ele tomou um porre na festa.

▷ Essa gíria vem do sentido original da palavra *hammer*, **martelo**. Ou seja: no sentido figurado, quem está bêbado está "martelado" (**chumbado, baqueado, pregado**).

▶▶ *assholed (US)/arseholed (UK)*
loaded
one too many
(to have) a skinful (UK)
sloshed
tipsy

HAND JOB MASTURBAÇÃO MASCULINA; PUNHETA

▶ *She gives the best hand job in town.*

48

Ela bate a melhor punheta da cidade.
▷ *Hand job* significa literalmente "trabalho de mão".
►► *to beat off*
finger-job
to jerk off
to jill off
to toss off (UK)
to wank (UK)

TO HANG ON ESPERAR UM POUCO

► *Hang on a minute – I'm almost ready.*
Espere um minutinho – estou quase pronto.
▷ O sentido original é **pendurar**, mas informalmente se usa *hang on* para significar **esperar um pouco**, com a conotação de também ter alguma paciência.

HANG-UP PREOCUPAÇÃO ANGUSTIANTE; PROBLEMA QUE ATORMENTA

► *He has terrible sexual hang-ups.*
Ele tem angústias sexuais terríveis.
▷ *Hang-up* é uma ansiedade irracional, normalmente a respeito de alguma característica pessoal de aparência ou comportamento.

A HARD-ON EREÇÃO; PAU DURO

► *He has a hard-on.*
Ele está de pau duro.
▷ Na gíria, usa-se também *a boner* e *a stiffy* (UK) para designar um pênis ereto.

TO HAVE SOMEBODY'S NUMBER DESCOBRIR AS VERDADEIRAS INTENÇÕES DE ALGUÉM; SACAR BEM ALGUÉM

► *Don't worry, I've got his number. He can't fool me.*
Não se preocupe, eu já saquei qual é a dele. Ele não pode me enganar.
▷ Ao pé da letra, *to have somebody's number* significa "ter o número de alguém". A expressão é usada no sentido figurado quando se sabe muito sobre alguém, principalmente as verdadeiras intenções da pessoa, e, assim, fica-se em posição superior e vantajosa.

HEAD SEXO ORAL

► *Does she give head?*
Ela faz sexo oral?
▷ Essa gíria vulgar indica normalmente o sexo oral quando praticado no ho-

mem, mas pode ser também na mulher. *Head* é especialmente usada na expressão *to give head*, **fazer sexo oral**.

►► *blow job*

HECK "DIACHO!"

► *Oh, heck! I forgot to phone Bill.*
Diacho! Eu me esqueci de ligar para Bill.

▷ A palavra é um eufemismo para *hell*, **inferno**, e é usada quando se está um pouco aborrecido ou se é pego de surpresa.

▷ A expressão *the heck*, usada junto com as palavras *how/what/who/where* etc., dá ênfase às perguntas. Exemplo:

► *What the heck are we going to do now?*
O que diabos vamos fazer agora?

▷ *Heck* também é usada coloquialmente para enfatizar o que se está afirmando. Eis um exemplo:

► *It's a heck of a lot of money.*
É um monte de dinheiro.

►► *helluva*

HELLUVA 1. EXTREMAMENTE, MUITO 2. ÓTIMO; LEGAL, DA HORA

▷ Extremamente, muito.

► *I've been waiting a helluva long time.*
Eu estou esperando há um tempão.

▷ Ótimo; legal, da hora.

► *It was a helluva party!*
Foi uma festa muito legal!

▷ *A/one helluva* é a forma abreviada da expressão *a/one hell of a*, usada informalmente para dar ênfase.

►► *awesome*
heck
mean
mind-blowing
neat
(somebody or something) rocks
unreal
wicked

HEN NIGHT/HEN PARTY FESTA SOMENTE PARA MULHERES, PRINCIPALMENTE A DESPEDIDA DE SOLTEIRA

► *I'm going to Marina's hen party on Friday night.*
Na sexta-feira à noite eu vou para a festa de despedida de solteira da Marina.

▷ Cuidado com a tradução ao pé da letra: "festa de galinha". Aqui, o sentido de *hen* é simplesmente **mulher**, sem nenhuma outra conotação. Vem do termo *hen* usado para indicar a fêmea de qualquer ave.

▷ Recomenda-se mais cuidado ainda com a tradução da versão masculina desse tipo de festa. A reunião só de homens para um amigo que vai se casar é *stag night* ou *stag party*. *Stag* é um animal símbolo de masculinidade nos Estados Unidos e significa... **veado!**

HICKEY (US) MARCA DE CHUPÃO

▶ *She had two hickeys on her neck.*
Ela tinha dois chupões no pescoço.

▷ Em inglês britânico, aquela marca vermelha, sobretudo no pescoço, que fica depois que se é chupado ou mordido sexualmente chama-se *love bite*, "mordida de amor".

TO HIT ON SOMEBODY (US) PAQUERAR, FLERTAR, SEDUZIR; AZARAR, CANTAR

▶ *This guy was hitting on me in the bar.*
Esse cara estava me paquerando no bar.

HOGWASH BESTEIRA, BOBAGEM, CONTRA-SENSO

▶ *What he said was pure hogwash.*
O que ele disse foi pura besteira.

▷ *Hog* é o porco para engorda. *Hogwash* é **lavagem, os restos de comida que se dão aos porcos.** No sentido figurado, o termo passou a designar **conversa sem sentido, besteira.**

▶▶ *balls*
Bollocks! (UK)
bullshit
a load/loads

HOLY SMOKE! "SANTO DEUS!"

▶ *Holy smoke! What happened to you?*
Santo Deus! O que aconteceu com você?

▷ Informalmente, a palavra *holy* (**santo, sagrado**) combina-se com várias outras para exprimir surpresa, pasmo, espanto ou choque. Eis algumas das expressões mais comuns: *Holy cow!*; *Holy fuck!* (Essa é uma expressão muito vulgar.); *Holy mackerel!*; *Holy Moses!*; *Holy shit!* (**Puta merda!**).

▶▶ *(to) fuck*
(to) shit

HONEY (US) AMORZINHO, BEM, DOÇURA

▶ *Hi, honey!*
Oi, amor!

▷ Em inglês americano, quando se fala com a pessoa amada, usa-se a palavra *honey* (**mel**) ou sua forma abreviada, *hon*.

▶▶ *baby/babe*

HOOTERS SEIOS; TETAS, PEITOS

▶ *Look at the hooters on that woman!*
Olhe as tetas daquela mulher!

▷ A palavra, usada normalmente no plural, vem de *hooter*, **buzina**, supostamente pela semelhança que os seios grandes têm com aquelas antigas buzinas de borracha, dos primeiros automóveis. O termo é considerado ofensivo e machista.

▶▶ *boobs*
knockers
tit/titty

HORNY SEXUALMENTE EXCITADO; ACESO, COM TESÃO

▶ *I'm feeling horny today.*
Estou com tesão hoje.

▷ Em inglês, *horn* é **chifre**, mas o adjetivo *horny* não tem nada a ver com o termo popular português, **chifrudo**, que designa o homem traído pela mulher. Na gíria inglesa, alguém que está *horny* está sexualmente excitado. A referência é aos chifres do bode, símbolo internacional de masculinidade, libido e luxúria.

▶▶ *randy (UK)*
to two-time

HOT UNDER THE COLLAR IRRITADO, ZANGADO; P. DA VIDA

▶ *He got really hot under the collar.*
Ele se irritou muito.

▷ Ao pé da letra, a expressão pitoresca *hot under the collar* significa "quente por baixo do colarinho", que é exatamente o que acontece quando uma pessoa perde a calma, fica irritada e começa a esquentar.

▶▶ *(to go) ape/apeshit*
miffed

HOW COME? "COMO É QUE...?"; "COMO ACONTECEU ISSO?"; "POR QUE ISSO?"

▶ *How come you didn't go to school today?*
Como é que você não foi à escola hoje?

▷ Informalmente, quando se quer saber por que motivo aconteceu algo ou por que ocorre uma situação, usa-se a expressão *How come?*.

TO HUMP FAZER SEXO; TRANSAR, TREPAR

▶ *Have you humped her yet?*
Você já transou com ela?

▷ O sentido original da palavra *hump* é **montículo**, ou **morro pequeno**. A gíria *to hump*, **trepar**, vem do "morrinho" formado pelo traseiro do homem quando faz sexo na posição papai-e-mamãe.

▶▶ *(to) fuck*
to make it with somebody
nookie/nooky
to score
to screw
to shag (UK)

HUNK HOMEM GRANDE, FORTE E SEXUALMENTE ATRAENTE; GOSTOSÃO, PEDAÇO DE MAU CAMINHO

▶ *That guy's a real hunk!*
Aquele cara é muito gostoso!

▷ *Hunky* é o adjetivo usado para descrever um homem desse tipo.

▶▶ *an eyeful*
fit (UK)
fox
juicy
yummy

I

ICKY (US) DESAGRADÁVEL, NOJENTO, DE MAU GOSTO; CHINFRIM, CHULÉ

▶ *She was wearing a really icky green dress.*
Ela estava usando um vestido verde muito chinfrim.

▷ A palavra *icky* designa qualquer coisa desagradável, principalmente em relação aos sentidos da visão, do tato, do cheiro e do paladar.

▶▶ *grotty (UK)*
lousy
pants (UK)
ropey/ropy (UK)
rotten
(somebody or something) sucks (US)
Yuck!/yucky

IFFY 1. INCERTO, INDECISO 2. NÃO MUITO BOM

▷ Incerto, indeciso.

▶ *She's still kind of iffy about the trip to Spain.*
Ela ainda está meio indecisa a respeito da viagem para a Espanha.

▷ Não muito bom.

▶ *This cream looks a bit iffy.*
Esse creme de leite não parece muito bom.

▷ O adjetivo coloquial *iffy* foi criado a partir da palavra *if*, que significa **se porventura.**

I'M EASY "PARA MIM TANTO FAZ", "POR MIM TUDO BEM"

▶ *"Shall we eat pizza or Chinese?" "I'm easy."*
"Vamos comer pizza ou comida chinesa?" "Para mim tanto faz."

▷ Muito cuidado com a tradução dessa expressão coloquial. Ao pé da letra, *I'm easy* quer dizer "Eu sou fácil", mas a frase não tem nada a ver com a suposta facilidade com que a pessoa se deixa seduzir e levar para cama. Usa-se a expressão *I'm easy* simplesmente para indicar que se aceita com satisfação qualquer escolha feita, ou decisão tomada, por outra(s) pessoa(s).

THE INS AND OUTS OS DETALHES COMPLEXOS; OS MACETES

▶ *He really understands the ins and outs of this business.*
Ele entende bem os macetes do ramo.

INTO MUITO INTERESSADO EM; FISSURADO EM

▶ *He's really into yoga.*
Ele gosta muito de ioga.

▷ A preposição *into* quer dizer **em**, de fora para dentro. Em gíria, porém, significa que se gosta muito de algo, ou que se está apaixonado por alguma atividade ou assunto.

▶▶ *-freak*

ISH UM POUCO, MAIS OU MENOS

▶ *"Did you get nervous during the interview?" "Ish."*
"Você ficou nervoso durante a entrevista?" "Um pouco."

▷ Coloquialmente, *ish* é usado como resposta a perguntas. Também é empregado como sufixo para significar **por volta de**, **aproximadamente**, neste sentido, por exemplo:

▶ *Let's have dinner around sevenish.*
Vamos jantar às sete, mais ou menos.

▶▶ *kinda*
so-so

ITTY-BITTY/ITSY-BITSY PEQUENININHO; PETITICO

▶ *She has these itty-bitty little fingers.*
Ela tem aqueles dedinhos pequenininhos.

▷ Usado de modo humorístico pelos adultos, esse termo veio de uma forma infantil de pronunciar a expressão *little bit*.

▶▶ *teeny (weeny)*

JAB (UK) INJEÇÃO PARA PREVENIR OU CURAR DOENÇAS
- ▶ *I always have a flu jab before winter.*
  Eu sempre tomo injeção contra gripe antes do inverno.
- ▷ O verbo *to jab* significa **espetar, picar**. No uso coloquial britânico, passou a designar a picada da agulha usada com a seringa.
- ▷ Em inglês americano, emprega-se informalmente para significar **injeção** a palavra *shot*, cujo sentido original é **tiro**.

JACK SHIT (US) NADA, COISA NENHUMA; NECAS DE PITIBIRIBA, MERDA NENHUMA
- ▶ *He doesn't know jack shit about computers.*
  Ele não sabe merda nenhuma sobre computadores.
- ▷ O termo *jack shit* é usado normalmente com o verbo no negativo. Pode também ser abreviado para simplesmente *jack*.
- ▶▶ *diddly (US)*
  zip (US)

TO JAM TOCAR MÚSICA COM IMPROVISAÇÃO
- ▶ *They jammed until three in the morning.*
  Eles improvisaram música até as três da manhã.
- ▷ *To jam* significa **tocar ou apresentar música, principalmente jazz ou rock, com outras pessoas, sem ensaiar antes.** Tais reuniões, ou sessões informais, são chamadas *jam sessions*.

JAZZ
- ▶▶ *all that jazz*

JAZZY VISTOSO, COLORIDO, ALEGRE, ATRAENTE
- ▶ *That's a jazzy tie you're wearing!*
  Que gravata vistosa você está usando!
- ▷ O uso do adjetivo *jazzy* na gíria vem de *jazz*, música sincopada que é animada, viva e alegre.
- ▶▶ *snazzy*

JERK IDIOTA (NORMALMENTE PARA HOMENS); BABACA, BOCÓ

► *You stupid jerk! You ruined everything!*
Seu idiota! Você estragou tudo!

►► *asshole (US)/arsehole (UK)*
dick
dork
goof
nitwit
pea-brain
prick
schlep/schmuck (US)
thick
tosser (UK)
wanker (UK)

TO JERK OFF MASTURBAR-SE (HOMENS); BATER PUNHETA

► *He went to the john to jerk off.*
Ele foi ao banheiro para bater punheta.

▷ O termo se aplica apenas à masturbação masculina.

►► *to beat off*
finger-job
hand job
to jill off
to toss off (UK)
to wank (UK)

THE JET SET AS PESSOAS RICAS (QUE VIAJAM AO REDOR DO MUNDO); O SOÇAITE

► *The jet set don't come to this seaside resort any more.*
O soçaite não vem mais para esse balneário.

▷ O termo *the jet set* designa o grupo (*set*) de pessoas ricas que viajam de jato (*jet*) para vários locais de lazer ao redor do mundo. Existe até verbo para descrever essa atividade: *to jet set.*

▷ O indivíduo rico é também chamado *jet setter.*

TO JILL OFF MASTURBAR-SE (MULHERES)

► *Most women like to jill off.*
A maioria das mulheres gosta de se masturbar.

▷ Usada jocosamente, *to jill off* é a versão feminina de *to jack off* – **mastur-bar-se** (homens). Jack e Jill sempre formam um casal. Além de serem dois nomes comuns, sempre lembram da rima infantil: *"Jack and Jill went up the hill,/ To fetch a pail of water./ Jack fell down and broke his crown,/ And*

Jill came tumbling after".
►► *to beat off*
finger-job
hand job
to jerk off
to toss off (UK)
to wank (UK)

JOE BLOW (US)/JOE BLOGGS (UK) O HOMEM COMUM; ZÉ-POVINHO, POVÃO

► *We need to know what Joe Blow thinks about this.*
Precisamos saber o que o povão acha disso.
▷ O nome inglês Joe, apelido de Joseph, equivaleria em português a Zé ou Zezinho.

JOHNNY (UK) PRESERVATIVO MASCULINO; CAMISINHA

► *Do you have any johnnies?*
Você tem camisinha?
▷ Johnny é diminutivo de John e corresponde ao nome Joãozinho em português. Na gíria britânica, usa-se também *rubber johnny*, literalmente "Joãozinho de borracha".
►► *rubber (US)*

JOINT CIGARRO DE MACONHA; BASEADO

► *Let's smoke a joint.*
Vamos fumar um baseado.
▷ O substantivo *joint* vem do verbo *to join*, **juntar**, **combinar**. A explicação é que o baseado é uma **combinação** da maconha com o tabaco (de cigarro convencional).
►► *acid*
pot
roach

TO JOSH (US) ZOMBAR, CAÇOAR, BRINCAR; TIRAR SARRO

► *She's always joshing him about his potbelly.*
Ela está sempre caçoando dele por causa da pança.
▷ Essa gíria tem origem no nome de um comediante americano, Josh Billings (1818-85). Josh é o apelido de Joshua.

JUICY 1. INTERESSANTE, PICANTE 2. SEXUALMENTE ATRAENTE; UM TESÃO

▷ Interessante, picante.
► *I've got some really juicy gossip.*

Eu tenho uma fofoca muito interessante.

▷ Sexualmente atraente; um tesão.

▶ *I met a really juicy chick at the gym.*
Conheci uma mina muito gostosa na academia.

▷ No uso convencional, *juice* significa **suco**, e *juicy*, **suculento**. No sentido figurado, *juicy* designa coisas interessantes, com a conotação de um pouco chocantes ou picantes. Só muito informalmente é usada para descrever alguém sexualmente atraente.

▶▶ *an eyeful*
fit (UK)
fox
hunk
yummy

KAPUT QUEBRADO; PIFADO
- ▶ *My computer's kaput.*
  Meu computador pifou.
- ▷ Do alemão *kaputt*, que significa **quebrado**.

KEY PAL UM AMIGO COM QUEM SE TROCAM E-MAILS
- ▶ *I've got a key pal in Australia.*
  Tenho um amigo na Austrália com quem troco e-mails.
- ▷ Antes da Internet, um hobby comum era ter um amigo (ou amiga) com quem se trocavam cartas, muitas vezes sem nunca tê-lo encontrado. Em inglês, essa pessoa se chamava *pen pal* ou (no Reino Unido) *pen friend*. Hoje em dia, com a proliferação de e-mails, a caneta (*pen*) foi substituída pelas teclas (*keys*), e o *pen pal* se tornou *key pal*.

KICK EMOÇÃO, EXCITAÇÃO, PRAZER INTENSO; BARATO
- ▶ *I get a real kick out of singing.*
  Eu sinto enorme prazer em cantar.
- ▷ Informalmente, a palavra *kick*, **chute**, significa **prazer, barato**. Usa-se também a expressão *to do something for kicks* quando se faz algo por puro divertimento. Exemplo:
- ▶ *I just play the guitar for kicks.*
  Eu só toco violão por prazer.

TO KICK (SOME) ASS VENCER, MOSTRAR CAPACIDADE COM FORÇA E FIRMEZA
- ▶ *Let's go in there and kick some ass!*
  Vamos entrar lá e mostrar a nossa capacidade!
- ▷ *To kick (some) ass*, ao pé da letra "chutar a bunda", equivaleria ao sentido positivo da expressão brasileira **botar pra quebrar**.
- ▷ Usa-se também o adjetivo *kick-ass* para qualquer coisa **ótima, excelente**. Exemplo:
- ▶ *It was a real kick-ass party!*
  Foi uma ótima festa!
- ▶▶ *ass (US)/arse (UK)*

KICKBACK SUBORNO, PROPINA

- ▶ *The mayor denied having received kickbacks from contractors.*
  O prefeito negou ter recebido propinas de empreiteiros.

KID BROTHER/KID SISTER IRMÃ(O) MAIS NOVA(O)

- ▶ *My kid brother lives in New York.*
  Meu irmão mais novo mora em Nova York.
- ▷ Coloquialmente, *kid* significa **criança**, **garoto(a)**. Quando usado com as palavras *brother* ou *sister*, designa o irmão ou irmã mais novos, mas não necessariamente o caçula, o filho mais jovem da família.

KINDA MEIO, UM POUCO; TIPO

- ▶ *She was kinda sad, you know.*
  Ela estava meio triste, sabe.
- ▷ Quando não se sabe exatamente como explicar ou descrever algo, usa-se a expressão *kind of* – que pode ser escrita como *kinda*, para representar a pronúncia informal.
- ▶▶ *ish*
  so-so

KINKY EXCÊNTRICO, NÃO-CONVENCIONAL, INCOMUM, ESQUISITO

- ▶ *He has some really kinky ideas.*
  Ele tem umas idéias muito esquisitas.
- ▷ Essa palavra é usada para qualificar qualquer coisa ou pessoa incomum, principalmente em relação aos comportamentos sexuais desviantes, como o sadomasoquismo, por exemplo.

KIP (UK) SONO, SONECA

- ▶ *I think I'll just have a quick kip.*
  Acho que vou tirar uma soneca.
- ▷ Em inglês britânico, além do substantivo *kip*, usa-se informalmente o verbo *to kip (down)*, **dormir**, especialmente num local fora de casa onde não se costuma passar a noite. Exemplo:
- ▶ *Can I kip (down) on your sofa tonight?*
  Posso dormir no seu sofá hoje à noite?
- ▶▶ *to nod off*

KIWI NEOZELANDÊS

- ▶ *There are lots of Kiwis living in London.*
  Há muitos neozelandeses morando em Londres.
- ▷ *Kiwi*, palavra que vem do idioma dos maoris, é o nome de uma ave que não

consegue voar, que é o símbolo nacional da Nova Zelândia.

▷ O substantivo português quivi, ou kiwi, vem do inglês *kiwi fruit*, literalmente "fruta neozelandesa".

KNOCKERS SEIOS, ESPECIALMENTE QUANDO FARTOS E VOLUMOSOS; TETAS, PEITÕES

► *Most men like women with big knockers.*
A maioria dos homens gosta de mulher com muito peito.

▷ A gíria vem do verbo *to knock*, **bater**, **dar pancadas**, por conta da imagem de tetas tão grandes que ficam batendo uma contra a outra quando a mulher anda, ou que derrubam qualquer pessoa ou coisa que esteja no caminho. O termo é considerado ofensivo e machista.

►► *boobs*
hooters
tit/titty

TO KNOW YOUR STUFF ENTENDER BEM DO ASSUNTO OU DO OFÍCIO; ENTENDER DAS COISAS, ENTENDER DO RISCADO

► *This guy really knows his stuff.*
Esse cara entende mesmo do riscado.

▷ A palavra *stuff* significa **material** (substantivo), **coisas**.

THE LADS (UK) OS RAPAZES, OS MENINOS, A TURMA (MASCULINA)

▶ *I'm going out with the lads tonight.*
Eu vou sair com os rapazes hoje à noite.

▷ A palavra *lad* significa **rapaz**, **menino**. Informalmente, usa-se a expressão *the lads* para referir-se à galera masculina, o grupo de homens que trabalham, praticam esporte ou simplesmente passam tempo juntos socialmente, em geral bebendo.

LA-DI-DA ESNOBE, ARROGANTE, PRETENSIOSO; METIDO A BESTA

▶ *She speaks in such a la-di-da way.*
Ela fala de um jeito tão esnobe!

▷ O termo designa a fala insincera ou o comportamento afetado de uma pessoa que tenta convencer as outras de que vem da alta sociedade, para impressioná-las.

▶▶ *snotty*

LAID-BACK RELAXADO, CALMO; DESENCANADO

▶ *My wife is so laid-back.*
A minha esposa é tão calma.

▷ *Laid* é o particípio passado do verbo *to lay*, que significa **deitar-se**. Uma pessoa que não esquenta com seus problemas ou com o comportamento dos outros fica, no sentido figurado, "deitada para trás" (*laid-back*) em posição de repouso, bem relaxada, sem estar nem aí.

TO LAUGH ALL THE WAY TO THE BANK GANHAR MUITO DINHEIRO FACILMENTE

▶ *He'll be laughing all the way to the bank if they sign the contract.*
Ele vai ganhar uma grana boa e fácil se assinarem o contrato.

▷ A tradução literal explica o significado dessa expressão. *To laugh all the way to the bank* é "rir durante todo o caminho para o banco", o comportamento esperado de alguém que ganha muito dinheiro fácil.

LAY PARCEIRO(A) SEXUAL; TRANSA (PESSOA)

▶ *She's a good lay.*
Ela é boa de transa.

▷ O verbo *to lay* (**deitar**) e a expressão *to get laid* significam **ter relações sexuais**. Em gíria, *lay* é usado como substantivo para descrever o tipo de parceiro sexual. Exemplo:

▶ *An easy lay.*
Mulher fácil.

▶ *A great lay.*
Ótimo ou ótima de cama.

▶ *A bad lay.*
Ruim de cama.

▶▶ *the sack*

A LEAK ATO DE URINAR

▶ *I need to take a leak.*
Eu preciso fazer xixi.

▷ *To leak* significa **deixar vazar**. Em gíria, diz-se *to take a leak* ou *to have a leak* quando se "deixa vazar o líquido do corpo", ou seja, quando se faz xixi.

▶▶ *to pee*
(to) piss
a slash (UK)

A LEMON 1. IMBECIL, IDIOTA (UK) 2. COISAS QUE NÃO FUNCIONAM OU PRODUTOS QUE SE COMPRAM COM DEFEITO, PRINCIPALMENTE (MAS NÃO NECESSARIAMENTE) CARROS (US)

▷ Imbecil, idiota (UK).

▶ *I felt such a lemon when I went into the meeting late.*
Eu me senti tão idiota quando entrei atrasado na reunião.

▷ Coisas que não funcionam ou produtos que se compram com defeito, principalmente (mas não necessariamente) carros (US).

▶ *The PC I bought was a lemon.*
O micro que comprei só deu defeito.

▶▶ *airhead*
dork
goof
jerk
nitwit
pea-brain
thick

LINGO LÍNGUA ESTRANGEIRA

▶ *We learned some of the lingo while on holiday in Spain.*
Aprendemos um pouco da língua durante as férias na Espanha.

▷ Além de significar informalmente qualquer língua estrangeira, *lingo* é usado para designar a língua ou fala que não se consegue entender porque é usado jargão específico. Alguns exemplos: *Internet lingo*; *Bureaucratic lingo*; *Medical lingo*; *Military lingo*; *Scientific lingo*.

MY LIPS ARE SEALED "SOU UM TÚMULO"; "MEUS LÁBIOS ESTÃO SELADOS"

▶ *"For God's sake don't tell her you saw me here!" "My lips are sealed."*
"Pelo amor de Deus, não conte a ela que você me viu aqui!" "Sou um túmulo."

▷ Em inglês, quando se assume o compromisso de não contar um segredo a ninguém, diz-se *My lips are sealed* – literalmente, "Meus lábios estão selados".

A LOAD/LOADS GRANDE QUANTIDADE, MUITO; UM MONTE, DE MONTÃO

▶ *She has loads of things to do.*
Ela tem um monte de coisas para fazer.

▷ O termo também é usado para dar ênfase a outras expressões. Exemplos:

▶ *A load of bollocks/a load of bull/a load of bullshit/a load of crap/a load of nonsense.*
Muita bobagem, muita besteira.

▷ Quando se quer chamar a atenção para algo interessante ou surpreendente, diz-se *Get a load of that!* (**Olhe/escute só aquilo!**).

▶▶ *balls*
Bollocks! (UK)
bullshit
crap
hogwash

LOADED 1. MUITO RICO; CHEIO DA GRANA 2. EXTREMAMENTE BÊBADO; BAQUEADO, COMPLETAMENTE DE PORRE (US)

▷ Muito rico; cheio da grana.

▶ *His family is loaded.*
A família dele é cheia da grana.

▷ Extremamente bêbado; baqueado, completamente de porre (US).

▶ *Paddy was loaded last night.*
Paddy estava completamente de porre ontem à noite.

▷ *Loaded* significa **carregado**. No sentido figurado, indica uma pessoa **carregada ou cheia de dinheiro**, ou seja, **muito rica**. Nos Estados Unidos, como se vê no segundo exemplo, também significa informalmente **muito bêbado**. Assim, imagine a confusão numa festa americana se alguém descreve um convidado como *loaded* – vai saber se a pessoa está bêbada ou é rica! Pode até ser que as duas coisas se apliquem ao mesmo tempo!

▶▶ *assholed (US)/arseholed (UK)*
flush
hammered
one too many
rolling in it
(to have) a skinful (UK)
sloshed
tipsy

LONG TIME NO SEE "HÁ QUANTO TEMPO A GENTE NÃO SE VÊ!"

▶ *Long time no see, John. How are you?*
Há quanto tempo a gente não se vê, John! Como vai?

LOUSY MAU, RUIM, DESAGRADÁVEL, DETESTÁVEL

▶ *The weather's lousy today.*
O tempo está ruim hoje.
▷ O adjetivo informal *lousy* deriva do substantivo *louse*, **piolho**.
▶▶ *icky (US)*
grotty (UK)
pants (UK)
ropey/ropy (UK)
rotten
(somebody or something) sucks (US)
Yuck!/yucky

LOVE HANDLES PNEUZINHOS DE GORDURA

▶ *I really like your love handles.*
Eu gosto muito dos teus pneuzinhos.
▷ O excesso de gordura que costuma acumular-se nos dois lados da cintura é tratado com bom humor na expressão informal *love handles*, literalmente "alças de amor", porque servem para segurar-se durante o sexo.
▷ Há também uma expressão parecida com o português **pneuzinho**: *spare tire* (US)/*spare tyre* (UK), "pneu sobressalente, estepe".

LUG/LUGHOLE ORELHA (DE PESSOA)

▶ *I'll give you a clip round the lughole if you don't stop!*
Eu vou te dar um sopapo na orelha se você não parar!
▷ A palavra *lug* ou *lughole* vem de um dialeto escocês e é usada na gíria de modo humorístico.

TO MAKE IT WITH SOMEBODY (US) FAZER SEXO; TRANSAR

▶ *Have you made it with him yet?*
Você já transou com ele?

▷ Além da expressão *to make it with somebody*, em inglês americano se diz informalmente *to make out*, que pode significar tanto **fazer sexo** quanto simplesmente **entregar-se a carícias íntimas, beijar-se e tocar-se sexualmente**. Exemplo:

▶ *They were making out in her car.*
Eles estavam transando no carro dela./ Eles estavam dando uns amassos no carro dela.

▶▶ *(to) fuck*
to hump
nookie/nooky
to score
to screw
to shag (UK)

MAN HOMEM; CARA, MEU

▶ *Hey, man, how are you doing?*
Oi, cara, como vai?

▷ A palavra *man* também é usada informalmente para expressar surpresa ou qualquer emoção forte, algo como **Nossa!** em português. Exemplo:

▶ *Man! That was great!*
Nossa! Isso foi ótimo!

MARGE (UK) MARGARINA

▶ *Do you want marge or butter?*
Você quer margarina ou manteiga?

▷ No Reino Unido, usa-se informalmente essa forma abreviada da palavra *margarine*.

MASH (UK) PURÊ DE BATATA

▶ *We're having sausage and mash for dinner.*
Vamos comer salsicha e purê de batata no jantar.

67

▷ A palavra britânica *mash* é uma forma abreviada de *mashed potatoes*, **purê de batata.**

MATE (UK, AUS) AMIGO, AMIGA; CHAPA

▶ *Angela's my best mate.*
Angela é a minha melhor amiga.
▷ O sentido original do substantivo *mate* é **parceiro sexual**, referindo-se tanto a seres humanos como a animais. No Reino Unido, a palavra é usada informalmente para significar **amigo** ou **amiga**, sem nenhuma conotação sexual. Também se usa a palavra *mate* quando se quer dirigir-se de maneira agradável a outra pessoa, principalmente homem. Exemplo:
▶ *Thanks, mate.*
Obrigado, amigo.
▶▶ *pal*

MAX NO MÁXIMO

▶ *It will cost fifty dollars max.*
Vai custar no máximo 50 dólares.
▷ *Max*, forma abreviada e informal de *maximum*, é freqüentemente usada depois de um número.
▷ Em inglês americano, a expressão *to max out* significa **chegar ao limite de qualquer coisa.** Exemplo:
▶ *He maxed out all his credit cards.*
Ele usou todos os cartões de crédito até o limite.

MAYO MAIONESE

▶ *Do you want mayo with your hot dog?*
Você quer maionese no cachorro-quente?
▷ *Mayo* é uma abreviação informal de *mayonnaise*.

MEAN ÓTIMO, EXCELENTE

▶ *He plays a mean game of soccer.*
Ele joga um ótimo futebol.
▷ Nesse sentido, *mean* só é usado antes de substantivos.
▶▶ *awesome*
Brill! (UK)
helluva
mind-blowing
neat
(somebody or something) rocks
unreal

MEATY COM MUITAS IDÉIAS INTERESSANTES OU IMPORTANTES

▶ *This is a really meaty report.*
Esse é um relatório repleto de idéias importantes.

▷ O termo informal *meaty* vem da palavra *meat*, **carne**. No sentido figurado, designa algo cheio de idéias interessantes ou importantes, que tem bastante consistência e precisa ser mastigado e digerido durante um bom tempo, tal qual um pedaço de carne.

TO MEET YOUR MAKER MORRER, FALECER; IR DESTA PARA MELHOR

▶ *I think he's about to meet his maker.*
Eu acho que ele está prestes a morrer.

▷ Ao pé da letra, *to meet your maker* significa "encontrar-se com seu criador". A expressão é usada jocosamente para substituir a palavra **morrer**.

▶▶ *Your number is up*

MIFFED IRRITADO, OFENDIDO, ZANGADO

▶ *I got really miffed when he didn't call.*
Eu fiquei muito irritado quando ele não ligou.

▷ Usa-se o termo informal *miffed* principalmente quando se está irritado ou ofendido com o comportamento de alguém.

▶▶ *(to go) ape/apeshit*
hot under the collar

MIND-BLOWING IMPRESSIONANTE, CHOCANTE, EXCITANTE; SUPERLEGAL, DA HORA

▶ *Trekking in Nepal was a really mind-blowing experience.*
Fazer caminhadas no Nepal foi uma experiência superlegal.

▷ Esse termo é usado para descrever algo tão maravilhoso e excitante que dá a impressão de que a **mente** (*mind*) está **explodindo** (*blowing*). A expressão se originou entre os usuários de drogas alucinógenas.

▶▶ *awesome*
Brill! (UK)
helluva
mean
neat
(somebody or something) rocks
unreal
wicked

MIND-BOGGLING EXTREMAMENTE SURPREENDENTE; DE FAZER CAIR O QUEIXO

▶ *Basketball players in the United States get mind-boggling sums of money.*

69

Os jogadores de basquete nos Estados Unidos ganham quantias de cair o queixo.

▷ O termo *mind-boggling*, literalmente "deixando a mente perplexa", é usado para descrever qualquer coisa tão surpreendente que fica difícil entendê-la ou imaginá-la.

MITT MÃO; PATA

► *Get your dirty mitts off my drink!*
Tire suas patas sujas da minha bebida!

▷ No beisebol, *mitt* é aquela luva de couro grande que se usa para pegar a bola. Em gíria, a palavra é normalmente usada no plural, *mitts*.

NOT GIVE A MONKEY'S (UK) NÃO DAR A MÍNIMA, NÃO ESTAR NEM AÍ

► *He won't like it, but I don't give a monkey's.*
Ele não vai gostar, mas eu não estou nem aí.

▷ Na gíria britânica, se você não se importa com algo, diz-se *You don't give a monkey's about something* ou *You couldn't give a monkey's about something*.

(MOONING)/TO MOON (O ATO DE) MOSTRAR O TRASEIRO DESCOBERTO

► *Mooning is a very common form of protest.*
O ato de mostrar o traseiro descoberto é uma forma muito comum de protesto.

▷ *To moon* significa **abaixar as calças e mostrar a bunda, como brincadeira ou como ofensa**. Essa gíria vem da palavra *moon*, **lua**, devido à semelhança desse corpo celeste com as nádegas bem branquinhas dos anglo-saxões.

MOREISH (UK) QUE DÁ VONTADE DE COMER MAIS, DE REPETIR VÁRIAS VEZES

► *Mmm, this pudding is really moreish!*
Mmm, essa sobremesa tem um gostinho de quero-mais!

▷ Sabe-se que a culinária britânica não é lá grande coisa, mas, quando qualquer comida é tão gostosa que dá aquela vontade irresistível de comer cada vez mais (*more*), diz-se que ela é *moreish*.

▷ Também se grafa *morish*.

TO MOSH DANÇAR E PULAR LOUCAMENTE (E ÀS VEZES VIOLENTAMENTE), EM ESPECIAL DURANTE UM SHOW DE ROCK

► *They moshed non-stop till two in the morning.*
Dançaram e pularam como loucos até as duas da manhã.

▷ A área em frente ao palco, onde a galera dança, é chamada *mosh pit*.

MOTHER/MOTHERFUCKER FILHO-DA-PUTA

▶ *I'll kill that motherfucker if he comes here again!*
Eu mato aquele filho-da-puta se ele vier aqui de novo!

▷ *Motherfucker*, ou simplesmente *mother*, é a gíria-tabu mais ofensiva e degradante da língua inglesa, pois implica transar (*fuck*) com a própria mãe (*mother*).

▶▶ *(to) fuck*
son of a bitch (US)

MUCKY SUJO, IMUNDO

▶ *Take your mucky feet off the sofa!*
Tire seus pés sujos do sofá!

▷ A palavra vem de *muck*, que significa **sujeira ou esterco** e, no sentido figurado, designa qualquer coisa considerada desagradável, sem valor, lixo. Exemplo:

▶ *Why do you read that muck?*
Por que você lê esse lixo?

NAFF (UK) VULGAR, INFERIOR; BREGA, CAFONA
- ▶ *His T-shirt's a bit naff.*
  A camiseta dele é um pouco cafona.
- ▷ O adjetivo *naff* indica falta de bom gosto, especialmente com relação ao estilo, à moda ou ao que é considerado de bom-tom numa situação específica.
- ▷ Quando alguém está incomodando ou irritando, diz-se grosseiramente *Naff off!* para pedir que vá embora. É algo como **Cai fora!** (ou **Se manda!**).
- ▶▶ *cheesy*
  Eff off!
  icky (US)
  tacky

TO NAG PEGAR NO PÉ; ABORRECER; INCOMODAR
- ▶ *My mom's always nagging me to clear up the mess in my room.*
  A minha mãe está sempre pegando no meu pé para arrumar a bagunça no meu quarto.
- ▷ Costuma-se usar o adjetivo *nagging* para descrever alguém que pega no pé. Exemplo:
- ▶ *A nagging husband/wife/child.*
  Marido/mulher/criança que pega no pé.
- ▷ *Nagging* também indica qualquer coisa que está continuadamente incomodando ou aborrecendo, e que fica difícil de se livrar. Exemplo:
- ▶ *A nagging cough/headache/pain/doubt/fear.*
  Uma tosse/dor de cabeça/dor/dúvida/medo que está incomodando.

NATCH NATURALMENTE, OBVIAMENTE, EVIDENTEMENTE; LÓGICO
- ▶ *We're staying at the best hotel, natch.*
  Vamos ficar no melhor hotel, lógico.
- ▷ A palavra *natch* é corruptela de *naturally*, **naturalmente**, e se usa ironicamente quando o que está dizendo parece mais do que óbvio.

TO NATTER (UK) BATER PAPO, JOGAR CONVERSA FORA
- ▶ *She loves nattering to her friends on the phone.*
  Ela adora bater papo ao telefone com as amigas.

▷ Existe também o substantivo *a natter*. Exemplo:
► *We had a long natter yesterday.*
Tivemos um longo bate-papo ontem.
►► *to blab/blabber*
chinwag (UK)
to shoot the breeze/bull (US)
to have verbal diarrhea
windbag
to yack/yak

NEAT ÓTIMO; LEGAL, BACANA

► *He's a really neat guy.*
Ele é um cara muito bacana.
▷ Nesse sentido, o adjetivo *neat* é muito usado junto com o advérbio *pretty*. Exemplo:
► *I thought that was pretty neat.*
Eu achei isso muito legal.
►► *awesome*
Brill! (UK)
helluva
mean
mind-blowing
(somebody or something) rocks
unreal
wicked

NETIZEN PESSOA QUE PASSA MUITO TEMPO USANDO A INTERNET

► *Most young people are netizens.*
A maioria dos jovens passa muito tempo usando a Internet.
▷ *Netizen* é uma palavra nova e criativa. Vem das palavras *net* (**Internet**) e *citizen* (**cidadão**).

IN (GOOD, EXCELLENT, BAD ETC.) NICK (UK) EM (BOM, EXCELENTE, MAU ETC.) ESTADO

► *My car's in really good nick.*
Meu carro está tinindo.
▷ Em inglês britânico informal, *nick* significa **o estado ou a condição de algo ou de alguém, principalmente tratando-se da saúde**. Exemplo:
► *He's in good nick for a man of his age.*
Ele está em boa forma para um homem de sua idade.

NIFTY BONITO E BEM PROJETADO; ESTILOSO E BEM-BOLADO

► *She has a really nifty new digital camera.*
Ela tem uma nova câmera digital que é muito bonita e bem-bolada.

NIPPY FRIO

► *It's a bit nippy outside.*
Está um pouco frio lá fora.
▷ A palavra informal *nippy* significa **frio**, mas somente em relação ao clima. Quando o tempo está frio e desagradável, diz-se também *There's a nip in the air*.
►► *parky (UK)*

TO NITPICK CRITICAR E PREOCUPAR-SE COM DETALHES INSIGNIFICANTES; PROCURAR PÊLO EM OVO

► *She's always nitpicking.*
Ela está sempre procurando pêlo em ovo.
▷ *To nitpick*, ao pé da letra, significa "pegar lêndeas". No sentido figurado, designa o ato incômodo de concentrar-se em picuinhas, principalmente para achar erros ou falhas. A pessoa que age assim é chamada a *nitpicker*, um **pentelho**.

NITWIT BOBÃO, TONTO, IDIOTA

► *He's such a nitwit!*
Ele é tão bobão!
▷ *Nitwit* combina duas palavras: *nit* (**lêndea**) e *wit* (**capacidade mental**). Ou seja, alguém com inteligência de lêndea, o que só pode ser um bobão. Em inglês britânico, usa-se também a forma abreviada *nit* para designar **idiota**.
►► *airhead*
dork
goof
jerk
a lemon
pea-brain
thick

NO-BRAINER ALGO QUE PODE SER ENTENDIDO OU RESOLVIDO FACILMENTE

► *The first question in the math exam was a real no-brainer.*
A primeira questão no exame de matemática foi muito fácil de resolver.
▷ *Brain* significa **cérebro** ou **inteligência** (geralmente no plural, *brains*). A gíria *no-brainer* designa qualquer coisa que se pode resolver ou conseguir sem muita inteligência ou habilidade especial.

TO NOD OFF COCHILAR, ADORMECER, SOBRETUDO DE MANEIRA INVOLUNTÁRIA

▶ *I nodded off during the movie.*
Eu cochilei durante o filme.

▶▶ *kip (UK)*

A NON-EVENT UMA DECEPÇÃO; QUALQUER ACONTECIMENTO QUE CAUSA DESAPONTAMENTO, FRUSTRAÇÃO OU DESILUSÃO

▶ *The party was a real non-event. Only three people went.*
A festa foi uma grande decepção. Só apareceram três pessoas.

▶▶ *a bummer*

NO-NO ALGO INADMISSÍVEL, INACEITÁVEL OU INDESEJADO

▶ *Two men kissing each other in public is still a definite no-no in most countries.*
Dois homens se beijarem em publico ainda é coisa inadmissível na maioria dos países.

▷ Qualquer coisa que a maioria das pessoas não aceite ou considere imprópria é chamada informalmente *a no-no*, "um não-não".

NOOKIE/NOOKY CÓPULA; TREPADA

▶ *How about a bit of nookie tonight?*
Que tal uma trepadinha hoje à noite?

▷ Trata-se de gíria humorística. Vem da palavra *nook*, **recanto**, e tem a conotação de "fazer sexo às escondidas".

▶▶ *(to) fuck*
to hump
to make it with somebody
to score
to screw
to shag (UK)

NOPE NÃO

▶ *"Are you coming to the movies with us?" "Nope."*
"Você vem ao cinema conosco?" "Não."

▷ A gíria *nope* é uma alternativa muito comum à palavra *no* (**não**), mas usa-se somente quando se quer dar uma resposta negativa.

▶▶ *yeah/yep/yah*

TO NUKE ESQUENTAR OU COZINHAR NO FORNO DE MICROONDAS

▶ *Are you going to nuke the spaghetti?*
Você vai esquentar o espaguete no microondas?

▷ A palavra *nuke* é uma abreviação de *nuclear weapon* (**arma nuclear**). Originariamente, *to nuke* significava apenas **atacar com bombas nucleares**, mas o termo passou do âmbito militar para as cozinhas americanas.

▷ Informalmente, o forno de microondas é chamado *nuker*.

YOUR NUMBER IS UP "VOCÊ VAI MORRER"; "A TUA HORA CHEGOU"

► *When the plane started to fall I thought my number was up.*
Quando o avião começou a cair, eu achei que minha hora tivesse chegado.

►► *to meet your maker*

NUTS/NUTTY LOUCO, DESEQUILIBRADO, MALUCO; PIRADO, PINEL

► *You must be nuts to work there.*
Você tem que ser pinel para trabalhar lá.

▷ Em gíria, a palavra *nuts* (literalmente "nozes") quer dizer **louco**. *Nutty* também significa **maluco**, com a conotação de **esquisito**. Exemplo:

► *She has some really nutty ideas.*
Ela tem umas idéias muito malucas.

▷ Para descrever alguém considerado desequilibrado e excêntrico, há ainda a expressão pitoresca *(As) nutty as a fruitcake*. *Fruitcake* é um bolo recheado com frutas cristalizadas, passas e muitas nozes, mas em gíria também designa uma pessoa pirada.

►► *oddball*
out to lunch
wacko

TO OD COMER, BEBER OU FAZER ALGO EM EXCESSO
- *I think I OD'd on the desserts.*
  Acho que exagerei nas sobremesas.
▷ Essa expressão humorística tem origem no mundo sério e tenebroso das drogas pesadas. *OD* são as iniciais de *overdose* (**dose excessiva**). Originariamente, *to OD* significava apenas **exagerar na dose de uma droga forte e perigosa**. Exemplo:
- *He OD'd on crack and died.*
  Ele fumou uma overdose de crack e morreu.
▶▶ *to pig out*

ODDBALL PESSOA ESTRANHA, EXCÊNTRICA; ESQUISITÃO
- *She's a real oddball.*
  Ela é uma pessoa muito esquisita.
▷ A palavra *odd* significa **esquisito, estranho**. Informalmente, *oddball* é o nome dado a um indivíduo com comportamento excêntrico e esquisito.
▷ A palavra é também usada como adjetivo. Exemplo:
- *An oddball movie.*
  Um filme esquisito.
▶▶ *nuts/nutty*
out to lunch
wacko

ODDS AND SODS (UK) BUGIGANGAS, COISAS PEQUENAS DE POUCO VALOR; TRALHA
- *My garage is full of odds and sods.*
  Minha garagem está cheia de tralha.
▷ A expressão *odds and sods* é uma versão britânica do termo informal de inglês internacional *odds and ends*, que significa uma **variedade de itens diferentes**, normalmente coisas pequenas de pouca importância ou valor.

TO OFF (US) MATAR ALGUÉM; APAGAR ALGUÉM
- *They offed him and buried his body in the woods.*
  Eles o apagaram e enterraram o corpo no mato.

▷ Na gíria americana, criou-se o termo *to off* provavelmente porque a vítima fica "desligada" (*off*) tal qual a corrente elétrica: *on/off* (**ligado/desligado**).

►► *to zap*

OFFIE/OFFY (UK) LOJA QUE VENDE BEBIDAS ALCOÓLICAS

► *There's an offie on the corner.*
Há uma loja de bebidas na esquina.

▷ *Offie* é uma abreviação de *off-licence*, o nome do tipo de loja que, no Reino Unido, vende bebidas alcoólicas para levar para casa. Em inglês americano, diz-se *liquor store*.

OKEY-DOKEY/OKEY-DOKE OK, COMBINADO, DE ACORDO

► *"I'll see you at seven then." "Okey dokey."*
"Então eu te vejo às sete." "Combinado."

▷ Trata-se de duas corruptelas de *OK*.

OLD FOGEY/FOGY PESSOA ANTIQUADA, MUITO CONSERVADORA, EM GERAL DE IDADE; CARETA

► *Politicians are a bunch of old fogies.*
Os políticos são um bando de caretas.

ONCE-OVER 1. EXAME VISUAL RÁPIDO; OLHADINHA 2. LIMPEZA RÁPIDA

▷ Exame visual rápido; olhadinha.

► *The policeman gave him the once-over and told him to leave.*
O policial deu só uma olhada nele e o mandou ir embora.

▷ *To give somebody or something the once-over* significa **olhar e examinar alguém ou alguma coisa rapidamente**.

▷ Limpeza rápida.

► *I'll just give the carpet a once-over.*
Eu só vou fazer uma rápida limpeza no carpete.

ONE-HORSE TOWN CIDADE PEQUENA E CHATA

► *This is a real one-horse town.*
Esta cidade é muito pequena e chata.

▷ Ao pé da letra, *a one-horse town* é "cidade de um cavalo só". A expressão veio do Velho Oeste e continua sendo usada para designar lugarejo tedioso.

ONE TOO MANY BÊBADO; ALTO, MAMADO

► *I think she's had one too many.*
Acho que ela está alta.

▷ Se alguém toma "uma além da conta" (*one too many*), conclui-se que está bêbado.

►► *assholed (US)/arseholed (UK)*
hammered
loaded (US)
(to have) a skinful (UK)
sloshed
tipsy

OOMPH VIGOR, VITALIDADE, ENERGIA, ENTUSIASMO; PIQUE

► *You need lots of oomph to deal with children.*
É preciso muito pique para lidar com criança.

▷ *Oomph* é um termo onomatopéico que reproduz o som de uma arfada de satisfação.

►► *pep*
zing

I'M OUT OF HERE "EU JÁ VOU EMBORA"; "ESTOU CAINDO FORA"

► *This meeting is a drag. I'm out of here.*
Essa reunião é um tédio. Eu já vou embora.

▷ Escreve-se também *I'm outa/outta here*, para reproduzir a pronúncia co-loquial.

OUT TO LUNCH MALUCO, PIRADO, DISTRAÍDO

► *Is she talking seriously, or is she out to lunch?*
Ela está falando sério, ou ela está maluca?

▷ Literalmente, *to be out to lunch* significa "sair para o almoço". Essa expressão esquisita foi criada nas faculdades americanas, mas agora é também usada no Reino Unido.

►► *nuts/nutty*
oddball
wacko

OZ (UK) AUSTRÁLIA

► *I'm going to Oz next week.*
Eu vou para a Austrália na semana que vem.

▷ *Oz* é uma forma abreviada de *Australia*, imitando o som da primeira sílaba.

▷ Informalmente, os britânicos também usam a palavra *Aussie* para referir-se a **australiano** (tanto o adjetivo quanto o substantivo).

►► *down under*

A PAIN IN THE ARSE/BACKSIDE (UK)
▶▶ *a pain in the ass/butt (US)*

A PAIN IN THE ASS/BUTT (US) UM PÉ NO SACO
▶ *She's a pain in the ass!*
Ela é um pé no saco!
▷ *A pain in the ass*, ao pé da letra "uma dor na bunda", designa qualquer **coisa ou pessoa insuportável, irritante**. Existe também a expressão eufemística e bem menos ofensiva *A pain in the neck*, "uma dor no pescoço".
▷ No Reino Unido, diz-se *a pain in the arse/backside*.
▶▶ *ass (US)/arse (UK)*
butt

PAL AMIGO, COLEGA; CHAPA
▶ *Mike's an old pal of mine.*
Mike é um velho amigo meu.
▷ Existe também o adjetivo *pally* (**amigável**).
▶▶ *key pal*
mate (UK, AUS)

(TO GO) DOWN THE PAN FRACASSAR, FALIR, FICAR ESTRAGADO, DESTRUÍDO, PERDIDO; IR PARA O RALO
▶ *If you're not careful your company will go down the pan.*
Se você não tomar cuidado, a sua empresa vai pro ralo.
▷ Nessa expressão, a palavra *pan* significa **vaso sanitário**.
▶▶ *(to) flop*

PANTS (UK) RUIM, INÚTIL, DE MÁ QUALIDADE; LIXO, CHINFRIM, CHULÉ
▶ *His new CD is pants.*
O novo CD dele está um lixo.
▷ Essa nova gíria britânica parece muito esquisita quando traduzida, pois *pants* significa **calças**. O termo surgiu nos anos 1990 como variação de outra gíria já existente: *Knickers!*, que significa **Bobagem!, Lixo!** e é usada quando não se concorda com que outra pessoa está dizendo. Pois bem: um

sinônimo de *knickers*, que literalmente quer dizer "calcinhas", é **pants** ou **panties**.

▸▸ *to get your knickers in a twist*
icky (US)
grotty (UK)
lousy
ropey/ropy (UK)
rotten
(somebody or something) sucks (US)
undies
Yuck!/yucky

PARKY (UK) FRIOZINHO, FRESQUINHO (CLIMA)

▸ *It's a bit parky in here today.*
Está meio friozinho aqui dentro hoje.
▷ *Parky* se refere apenas a condições climáticas, num recinto ou ao ar livre.
▸▸ *nippy*

PARTY POOPER DESMANCHA-PRAZERES

▸ *Don't invite Ken. He's a party pooper.*
Não convide Ken. É um desmancha-prazeres.
▷ A palavra *poop* significa **cocô** e é usada principalmente por crianças ou na conversa com elas. *Party pooper* é uma expressão humorística: "cocô de festa", alguém que não participa da folia e ainda estraga a alegria dos outros.

PDQ IMEDIATAMENTE, RAPIDAMENTE, DEPRESSA

▸ *Find out how much we have to pay and let me know PDQ/pdq.*
Descubra quanto temos de pagar e me avise na mesma hora.
▷ *PDQ* ou *pdq* é uma sigla para *pretty damn quick* – algo como **bastante rápido, droga!**.
▸▸ *ASAP*

PEA-BRAIN IMBECIL, IDIOTA; BURRO

▸ *His boss is a real pea-brain.*
O chefe dele é muito idiota.
▷ Quem tem um cérebro (*brain*) do tamanho de uma ervilha (*pea*) só pode mesmo ser um imbecil...
▷ Usa-se também o adjetivo *pea-brained*. Exemplo:
▸ *What a pea-brained idea!*
Que idéia idiota!
▸▸ *airhead*

dork
goof
jerk
a lemon
nitwit
thick

PECKER PÊNIS; PINTO, PICA

▶ *He covered his pecker with a towel and ran into the bathroom.*
Ele cobriu o pinto com uma toalha e correu para o banheiro.

▷ O significado convencional da palavra *pecker* é **bico** (**de ave**).

▶▶ *cock*
dick
prick

PECKISH (UK) COM UM POUCO DE FOME

▶ *Let's have a quick snack. I'm feeling a bit peckish.*
Vamos comer um lanche rápido. Estou com um pouco de fome.

▷ O termo britânico *peckish* vem do verbo *to peck* (**bicar, dar bicadas**) e significa que se está com vontade de "beliscar" alguma coisa.

TO PEE URINAR; FAZER XIXI

▶ *I always pee a lot when I drink beer.*
Eu sempre faço muito xixi quando bebo cerveja.

▷ Usa-se também *to have a pee* ou *to go for a pee*.

▶▶ *a leak*
(to) piss
a slash (UK)

PEP ÂNIMO, DISPOSIÇÃO, ENERGIA; PIQUE

▶ *She's always full of pep in the morning.*
Ela está sempre no maior pique de manhã.

▷ *Pep* é uma forma abreviada de *pepper* (**pimenta**), palavra que, no sentido figurado, designa **vigor, disposição**.

▷ Existe também o verbo *to pep up* (**animar**) e o termo *pep talk* (**rápida palestra ou conversa de incentivo**, normalmente com o intuito de animar as pessoas a trabalharem mais e melhor, ou a se esforçarem mais para ganhar um jogo ou competição).

▶▶ *oomph*
zing

TO PET BEIJAR-SE E TOCAR-SE SEXUALMENTE; DAR UNS AMASSOS, FICAR DE CHAMEGO

- ► *Couples were petting in the park.*
  Casais estavam se amassando no parque.
- ▷ Usa-se também o substantivo *heavy petting* (**malho, sarro**) quando duas pessoas se acariciam de forma explicitamente sexual mas não chegam às vias de fato. Exemplo:
- ► *There was a lot of heavy petting, but that was all they did.*
  Ficaram no maior malho, e foi só.
- ►► *to snog (UK)*

PIC FOTO

- ► *Can I see the family pics?*
  Posso ver as fotos da família?
- ▷ *Pic* é uma forma abreviada de *picture* (**foto**).

PICKY MUITO EXIGENTE; ENJOADO, NOJENTO

- ► *She's a really picky eater.*
  Ela é muito enjoada para comer.
- ▷ O adjetivo *picky* vem do verbo *to pick* (**escolher, selecionar**) e designa uma pessoa complicada, difícil de agradar.

PIDDLING INSIGNIFICANTE, MUITO PEQUENO, PÍFIO

- ► *How can I buy a new car with such a piddling salary?*
  Como é que eu posso comprar um carro novo com um salário tão pífio?
- ▷ O adjetivo *piddling* vem do verbo *to piddle* (**fazer xixi, urinar**).
- ▷ Diz-se também *piffling*.
- ►► *dinky*

TO PIG OUT COMER OU BEBER DEMAIS, EMPANTURRAR-SE; ENCHER O BUCHO

- ► *The kids pigged out on chocolate cake.*
  As crianças se empanturraram de bolo de chocolate.
- ▷ Literalmente, *to pig out* significa "comer como um porco". Com o mesmo sentido, usa-se também *to make a pig of yourself*.
- ►► *to OD*

(TO) PISS 1. URINAR; MIJAR 2. MIJO

- ▷ Urinar; mijar.
- ► *I need (to take) a piss.*
  Eu preciso mijar.
- ▷ Mijo
- ► *The place smelled of piss.*

O lugar cheirava a mijo.

▷ A palavra *piss*, embora grosseira, é muito usada informalmente em grande variedade de expressões do dia-a-dia, tais como:

▶ *A piece of piss.*
Uma coisa fácil de fazer, bico, moleza.

▶ *To piss about/around.*
Comportar-se de maneira tola, perdendo tempo.

▶ *To piss down.*
Chover forte.

▶ *Pissed (UK).*
Bêbado.

▶ *Pissed (off).*
De saco cheio, puto da vida.

▶ *Piss off!*
Se manda! Cai fora!

▶ *Pisspot (AUS).*
Beberrão.

▶ *To piss somebody off.*
Encher o saco de alguém.

▶ *To take the piss out of somebody or something.*
Zombar, tirar sarro de alguém ou de algo.

▶ *What a pisser!*
Que saco!

▶▶ *a leak*
to pee
a slash (UK)

PIZZA-FACE ALGUÉM MUITO MARCADO PELA ACNE; ESPINHUDO; "CARA DE CHOKITO"

▶ *Hey, pizza-face, where were you?*
Ei, espinhudo, onde é que você estava?

▷ O termo *pizza-face* ("cara de pizza") é um apelido cruel, usado principalmente por adolescentes, para pessoas cujo rosto (cheio de espinhas, pústulas, inchaços e imperfeições em geral) lembra muito uma pizza de queijo derretido.

▷ Usa-se também *crater-face* ("cara de cratera").

▶▶ *zit*

PLONK (UK, AUS) QUALQUER VINHO BARATO, DE QUALIDADE INFERIOR

▶ *Take a bottle of plonk to the party.*
Leve uma garrafa de vinho baratinho para a festa.

▶▶ *vino*

POM/POMMY (AUS) BRITÂNICO (PEJORATIVO)

▶ *There are lots of pommies here in Australia.*
Há muito britânico aqui na Austrália.

▷ *Pom* e *pommy* são os apelidos pouco lisonjeiros usados pelos australianos e neozelandeses para referir-se aos britânicos em geral e aos ingleses em particular.

POOF/POOFTER (UK) HOMOSSEXUAL MASCULINO; BICHA, VEADO

▶ *This place is full of poofters in the summer.*
Esse lugar fica cheio de bichas no verão.

▷ *Poof* e *poofter* são palavras ofensivas e pejorativas.

▶▶ *AC/DC*
dyke/dike
fag/faggot
gaydar
queen
queer

POSH CHIQUE, ELEGANTE, FINO

▶ *We went to a really posh restaurant.*
Fomos a um restaurante muito chique.

▷ Usa-se principalmente para descrever coisas ou lugares caros e exclusivos.

POT MACONHA

▶ *The police found a small bag of pot in his suitcase.*
A polícia achou um saquinho de maconha na mala dele.

▷ A palavra *pot* vem de *potiguaya*, o nome mexicano das folhas de maconha.

▷ Quem fuma muita maconha é chamado, pejorativamente, de *pothead*.

▶▶ *acid*
joint
roach

PREZZIE (UK) PRESENTE

▶ *Did you get lots of nice prezzies on your birthday?*
Você recebeu muito presente legal no aniversário?

▷ Esse termo informal é uma forma abreviada da palavra *present*.

PRICK 1. PÊNIS; PINTO, PAU 2. CRETINO; METIDO A BESTA

▷ Pênis; pinto, pau.

▶ *He did try to cover his prick, but it was useless.*
Ele até tentou cobrir o pinto, mas não adiantou.

▷ Cretino; metido a besta.
► *John's a right prick!*
  John é muito metido a besta.
►► *asshole (US)/arsehole (UK)*
  dick
  cock
  pecker
  runt
  schlep/schmuck (US)
  scumbag
  tosser (UK)
  twat
  wanker (UK)

PRICK-TEASER MULHER QUE SÓ EXCITA UM HOMEM, SEM CHEGAR A FAZER SEXO; FRESCA, CHA-MARISCA, SARRISTA

► *She's a real prick-teaser!*
  Ela excita muito, mas é só sarrista!
▷ *Prick-teaser*, ao pé da letra, é algo como "provocadora de caralho".
▷ Diz-se também *cock-teaser*.
►► *prick*

PUB CRAWL AÇÃO DE IR DE BAR EM BAR PARA BEBER; RONDA DOS BARES

► *Let's go on a pub crawl tonight.*
  Vamos de bar em bar hoje à noite.
▷ A prática de ir de bar em bar, tomando uma bebida ou mais em cada lugar, é chamada *pub crawl* – literalmente, "rastejo pelos botecos", porque as pessoas ficam tão bêbadas que acabam se arrastando pelo chão.

PUD (UK) SOBREMESA

► *What's for pud?*
  O que tem de sobremesa?
▷ *Pud* é uma forma abreviada de *pudding*.

(TO) PUKE 1. VOMITAR 2. VÔMITO

▷ Vomitar.
► *She couldn't help puking on me.*
  Ela não conseguiu evitar e vomitou em cima de mim.
▷ Vômito.
► *The carpet was covered with puke.*
  O carpete estava cheio de vômito.

▷ Para as ocasiões em que se está muito bravo ou aborrecido, existe também a expressão *it makes me (want to) puke* – **me faz vomitar**, ou **me dá vontade de vomitar.**

►► *to barf*
to chunder (AUS)

PUSSY 1. VAGINA; XOXOTA, BUÇA 2. MULHER COMO OBJETO SEXUAL

▷ Vagina; xoxota, buça.
► *She flashed her pussy.*
Ela mostrou rapidamente a buça.
▷ Mulher como objeto sexual.
► *I've got to get some pussy tonight!*
Eu preciso traçar uma hoje à noite!
▷ No sentido convencional, a palavra *pussy* ou *pussy cat* significa **gatinho** e é usada principalmente por crianças, para designar esse bicho peludo de estimação. Como gíria, é considerada extremamente ofensiva.

►► *fanny*
twat

QUEEN HOMOSSEXUAL MASCULINO; BICHA, VEADO

- ▶ *He's such a silly old queen!*
  É uma bicha velha tão boba!
- ▷ Esse termo ofensivo designa um homossexual, principalmente mais velho, que se comporta ou fala de forma afeminada e artificial. Na cultura popular, existe uma variedade de expressões que combinam outras palavras com a gíria *queen*. Exemplos:
- ▶ *Closet queen.*
  Bicha enrustida.
- ▶ *Drag queen.*
  Homem, normalmente mas não necessariamente homossexual, que se veste de mulher para trabalhar como artista em shows e teatros.
- ▶ *Drama queen.*
  Pessoa escandalosa.
- ▶ *Leather queen.*
  Gay que gosta de usar roupas de couro.
- ▶ *Rubber queen.*
  Gay que gosta de usar roupas de borracha.
- ▶ *Rice queen.*
  Gay que gosta de asiáticos.
- ▶▶ *AC/DC*
  drama queen
  dyke/dike
  fag/faggot
  gaydar
  poof/poofter (UK)
  queer

QUEER HOMOSSEXUAL MASCULINO; BICHA, VEADO

- ▶ *This place is full of queers.*
  Esse lugar está cheio de veados.
- ▷ O sentido original da palavra *queer* é **esquisito, estranho**. Na década de 1920, passou à linguagem cotidiana para designar o homossexual. O termo, embora ofensivo no mais das vezes, é considerado positivo, sem conota-

ções pejorativas, quando usado pelo próprio grupo GLS (gays, lésbicas e simpatizantes).

▷ A expressão *queer bashing* designa o ato violento de atacar, espancar e surrar (*bash*) gays por causa de sua homossexualidade. Diz-se também *gay bashing* e *fag bashing*.

▸▸ *AC/DC*
drama queen
dyke/dike
fag/faggot
gaydar
poof/poofter (UK)
queen

A QUICKIE 1. ALGO FEITO RAPIDAMENTE 2. SEXO FEITO ÀS PRESSAS; RAPIDINHA

▷ Algo feito rapidamente.
▸ *Fortunately, it was a quickie divorce.*
Felizmente foi um divórcio rápido.
▷ Sexo feito às pressas; rapidinha.
▸ *Let's just have a quickie.*
Vamos dar só uma rapidinha.

QUID (UK) LIBRA ESTERLINA

▸ *The new CD costs twenty quid.*
O novo CD custa 20 libras.
▸ *Ayrton (UK)*
tenner (UK)

RANDY (UK) SEXUALMENTE EXCITADO; ACESO, COM TESÃO

▶ *I'm feeling really randy today.*
   Hoje eu estou com um tesão danado.
▷ Esse termo é muito usado no Reino Unido. Já nos Estados Unidos, *Randy* é um nome masculino comum.
▶▶ *horny*

A RAT'S ASS (US)/A RAT'S ARSE (UK) ALGO RUIM, INSIGNIFICANTE; PORRA NENHUMA

▶ *I don't give a rat's ass!*
   Eu não dou a mínima, porra!
▶ *It's not worth a rat's ass!*
   Não vale porra nenhuma!
▷ Essa expressão ofensiva significa, ao pé da letra, "um cu de rato". O que poderia ser mais asqueroso e insignificante?
▶▶ *ass (US)/arse (UK)*
   assholed (US)/arseholed (UK)

ON THE RAZZLE (UK) FARREANDO

▶ *We went on the razzle last night.*
   Fizemos uma farra ontem à noite.
▷ *To be on the razzle* ou *to go on the razzle* significa divertir-se farreando com muita bebida e dança.

TO RECKON PENSAR, ACHAR, SUPOR

▶ *Everything seems great now. What do you reckon?*
   Tudo parece ótimo agora. O que você acha?
▷ O significado convencional do verbo *to reckon* é **calcular**, mas informalmente se usa no sentido de **achar, pensar**.

RED-EYE VÔO NOTURNO, VÔO DE MADRUGADA, "CORUJÃO"

▶ *He went to L.A. on the red-eye from New York.*
   Ele foi para Los Angeles no vôo noturno de Nova York.
▷ As companhias aéreas americanas e européias freqüentemente oferecem passagens mais baratas à noite ou de manhã bem cedinho, em vôos que

são apelidados de *red-eye*, "olho vermelho", porque quem viaja assim costuma ficar com os olhos injetados de sono.

REF JUIZ, ÁRBITRO (ESPORTIVO)

▶ *The ref was really bad and didn't even see the foul.*
O juiz era muito ruim e nem sequer viu a falta.

▷ *Ref* é uma forma abreviada de *referee* (**juiz, árbitro esportivo**), muito usada quando se fala especialmente de futebol.

TO REJIG/TO REJIGGER (US) REORGANIZAR, REAJUSTAR, REARRANJAR

▶ *We'll have to rejig the schedules to find time for everybody.*
Vamos ter de reorganizar os horários para achar tempo para todo o mundo.

▷ *To rejig* significa **organizar algo de maneira diferente** ou **fazer reajustes para melhorar a organização de algo**. Em inglês americano, usa-se também *to rejigger*.

RELLIE (AUS) PARENTE, MEMBRO DA FAMÍLIA

▶ *My rellies are coming to visit us this weekend.*
Minha parentada vem nos visitar no fim de semana.

▷ *Rellie* é forma abreviada de *relative* (**parente, membro da família**).

▷ Em inglês australiano informal, usa-se também *rello*.

RENT BOY (UK) GAROTO DE PROGRAMA; MICHÊ

▶ *There are lots of rent boys in the main square.*
Há muitos michês na praça principal.

▷ *Rent boy* é, literalmente, "rapaz de aluguel".

THE RIFF-RAFF O POVO, EM SENTIDO PEJORATIVO; GENTALHA, RALÉ, POPULACHO

▶ *We must keep the riff-raff a long way from here.*
Temos de manter esse povinho longe daqui.

▷ *The riff-raff* é uma expressão ofensiva, usada com desaprovação, para referir-se às grandes massas, à classe socioeconômica mais baixa.

A RIP-OFF UM ROUBO, UMA EXPLORAÇÃO; ROUBALHEIRA, ABUSO

▶ *A hundred dollars for a ticket to the show! That's a complete rip-off!*
Cem dólares por um ingresso para o show!? Isso é uma exploração total!

▷ *A rip-off* designa o ato de cobrar caro demais por alguma coisa.

RISE AND SHINE! "ACORDE E LEVANTE-SE!"

▶ *Rise and shine! Breakfast's ready and we're late.*
Acorde e levante-se! O café está pronto, e estamos atrasados.

▷ Usa-se essa expressão de modo humorístico. Costuma-se acordar os dorminhocos dizendo isto: *Wakey wakey, rise and shine!* Ao pé da letra: "Acorde, acorde, levante-se e brilhe!".

ROACH 1. BARATA 2. TOCO DE CIGARRO DE MACONHA

▷ Barata.

▶ *The kitchen was full of roaches.*
A cozinha estava cheia de baratas.

▷ *Roach* é uma forma abreviada da palavra *cockroach* (**barata**).

▷ Toco de cigarro de maconha.

▶ *After the party, I found two roaches on the sofa.*
Depois da festa, achei dois tocos de baseado no sofá.

▶▶ *acid*
joint
pot

(SOMEBODY OR SOMETHING) ROCKS (ALGUÉM OU ALGO) É MASSA, DA HORA, O MÁXIMO

▶ *His new movie rocks.*
O novo filme dele é da hora.

▷ No sentido figurado, quando alguém ou algo é muito impressionante, isso "balança" (*rocks*) as pessoas.

▶▶ *awesome*
Brill! (UK)
helluva
mean
mind-blowing
neat
(somebody or something) rules OK (UK)
unreal
wicked

ROLLING IN IT NADANDO EM DINHEIRO; MONTADO NA GRANA

▶ *He's rolling in it.*
Ele está nadando em dinheiro.

▷ Diz-se também *rolling in money* para qualificar uma pessoa extremamente rica.

▶▶ *flush*
loaded

ROLY-POLY BAIXINHO E ROLIÇO

▶ *Bill is a roly-poly little man.*

Bill é baixinho e roliço.

▷ No sentido convencional, *roly-poly* é o nome inglês para **rocambole**. (No Reino Unido, esse doce é muito apreciado com geléia, sendo então chamado *jam roly-poly* e servido quente como sobremesa.) Informalmente, o termo *roly-poly* é usado para designar de modo jocoso uma pessoa pequena e redonda, que faz lembrar aquela iguaria.

ROO (AUS) CANGURU

▶ *There are lots of roos in Australia.*
Há muito canguru na Austrália.

▷ *Roo* é forma abreviação da palavra *kangaroo* (**canguru**).

ROPEY/ROPY (UK) DE MÁ QUALIDADE, EM MÁS CONDIÇÕES, RUIM; CHINFRIM

▶ *He's a pretty ropey singer.*
Ele é um cantor meio ruim.

▷ Essa gíria britânica pode ser usada também para referir-se ao estado físico de uma pessoa. Exemplo:

▶ *She's feeling a bit ropey after the party last night.*
Ela está se sentindo um pouco baqueada depois da festa de ontem à noite.

▶▶ *icky (US)*
grotty (UK)
lousy
pants (UK)
rotten
(somebody or something) sucks (US)
Yuck!/yucky

ROTTEN PODRE, MAU, RUIM, DESAGRADÁVEL

▶ *The weather was really rotten.*
O tempo estava muito ruim.

▶▶ *icky (US)*
grotty (UK)
lousy
pants (UK)
ropey/ropy (UK)
(somebody or something) sucks (US)
Yuck!/yucky

RUBBER (US) PRESERVATIVO MASCULINO; CAMISINHA

▶ *I always keep a rubber in my wallet.*
Eu sempre levo uma camisinha na carteira.

▷ *Rubber* significa **borracha**. Em inglês britânico, a palavra designa apenas a borracha usada para apagar o que está escrito (a qual é chamada *eraser* em inglês americano).

▶▶ *johnny (UK)*

(SOMEBODY OR SOMETHING) RULES OK (ALGUÉM OU ALGO) É O MELHOR; É O BAM-BAMBÃ

▶ *Manchester United rules OK.*
O Manchester United é o bambambã.

▷ Para mostrar o entusiasmo e a paixão por algo ou alguém, além de falar essa expressão, é comum grafitar nos muros ou imprimir em camisetas *X (someone or something) rules* – ao pé da letra, "X (alguém ou algo) domina", ou seja, **X é o melhor.**

▶▶ *(somebody or something) rocks*

THE RUNS DIARRÉIA

▶ *Excuse me, but I've got the runs.*
Desculpe, mas eu estou com diarréia.

▷ O termo informal *the runs* vem do fato de que a diarréia **escorre** (*runs*) pelo corpo; e também porque quem está sofrendo assim **corre** (*runs*) toda hora para o banheiro.

▶▶ *(to) crap*
dump
(to) shit
to have verbal diarrhea

RUNT 1. INDIVÍDUO DE BAIXA ESTATURA; NANICO, TAMPINHA 2. PESSOA FRACA, CRETINA E DESPREZÍVEL

▷ Indivíduo de baixa estatura; nanico, tampinha.

▶ *He is a runt, but he plays a mean game of soccer.*
Ele é um tampinha, mas joga um bolão.

▷ Pessoa fraca, cretina e desprezível.

▶ *He's a stupid little runt!*
Ele é um fraco e imbecil!

▷ No mundo animal, *runt* é o menor e mais fraco filhote de uma ninhada. Informalmente, a palavra designa ou uma pessoa baixinha, ou uma pessoa fraca de quem ninguém gosta.

▶▶ *scumbag*
sleazebag

THE SACK A CAMA

▶ *It's late. I'm going to hit the sack.*
É tarde. Eu vou para a cama.

▷ *Sack* também tem as mesmas conotações sexuais que a palavra **cama** em português. Assim, *to get/climb/jump into the sack with somebody* significa **ir para a cama com alguém, em geral uma pessoa que não se conhece muito bem**. E a expressão *in the sack* é usada para referir-se às habilidades sexuais de alguém. Exemplos:

▶ *Good in the sack.*
Bom de cama.

▶ *Bad in the sack.*
Ruim de cama.

▶▶ *lay*

SAD TEDIOSO (PESSOA); CHATO

▶ *He stays at home alone on Saturday night. What a sad guy!*
Ele fica em casa sozinho sábado à noite. Que cara chato!

▷ O sentido convencional da palavra *sad* é **triste**, mas em gíria descreve uma **pessoa chata, que não merece o respeito dos outros e não tem amigos**. Em inglês britânico, usa-se também *saddo*, principalmente para homens.

SAME HERE "EU TAMBÉM"; "EU IDEM"; "EU CONCORDO"

▶ *"I really hated the party." "Same here."*
"Eu detestei a festa." "Eu também."

▷ Informalmente, quando se tem a mesma opinião ou sentimento, diz-se *Same here*, **Eu idem**.

SASSY (US) ATREVIDO, IMPERTINENTE, MAL-EDUCADO

▶ *She's a sassy young woman!*
Ela é uma jovem atrevida!

▷ Usa-se também o verbo *to sass*, que significa **falar ou comportar-se de forma insolente, sem respeito, sobretudo com pessoas que têm poder ou posição de autoridade**.

▶▶ *to diss/dis (US)*

SAY WHEN "DIGA-ME QUANDO FOR SUFICIENTE"

▶ *Have some more whiskey. Say when.*
Tome mais uísque. Diga quando for suficiente.

▷ Essa expressão é usada quando se está oferecendo comida ou bebida a alguém. A pessoa que está sendo servida pode responder dizendo *When* (**Está bom, Já basta**) ou algo como *That's okay/Fine, thanks.*

SCHLEP/SCHMUCK (US) CRETINO, PALERMA

▶ *Her boyfriend is a real schmuck.*
O namorado dela é muito cretino.

▷ Essas duas palavras americanas informais vêm do iídiche.

▶▶ *asshole (US)/arsehole (UK)*
dick
prick
runt
tosser (UK)
twat
wanker (UK)

TO SCORE FAZER SEXO; TRANSAR, TREPAR

▶ *Did you score with her last night?*
Você transou com ela ontem à noite?

▷ O sentido convencional da palavra *score* é **marcar pontos**. Usa-se o verbo informalmente quando se consegue fazer sexo com alguém que se acaba de conhecer ou que é um parceiro novo.

▶▶ *(to) fuck*
to hump
to make it with somebody
nookie/nooky
to screw
to shag (UK)

TO SCREW FAZER SEXO; TRANSAR, TREPAR

▶ *She's screwing her boss.*
Ela está transando com o chefe.

▷ Também se usa esse verbo quando se está extremamente aborrecido ou irado, significando algo como **Dane-se!**. Exemplos: *Screw it!*; *Screw you!*; *Screw them!*.

▶▶ *(to) fuck*
to hump
to make it with somebody

nookie/nooky
to score
to shag (UK)

TO SCREW UP <small>ERRAR FEIO, ESTRAGAR OU ATRAPALHAR TUDO</small>

▶ *He really screwed up this time.*
Ele errou muito feio desta vez.
▷ Usa-se também o adjetivo *screwed up*, que significa **atrapalhado, confuso, fodido.**
▶▶ *goof*

SCUMBAG <small>PESSOA DESPREZÍVEL; CUZÃO</small>

▶ *He's a real scumbag!*
Ele é um cuzão!
▷ *Scumbag* (ao pé da letra, "saco de escória") designa uma pessoa de má índole, principalmente alguém que faz coisas desonestas e ilegais.
▷ Diz-se também *dirtbag*.
▶▶ *asshole (US)/arsehole (UK)*
dick
prick
runt
schlep/schmuck (US)
shyster
sleazebag
tosser (UK)
wanker (UK)

SEARCH ME! <small>"SEI LÁ!"; "VAI SABER!"</small>

▶ *"Why did she do that?" "Search me!"*
"Porque ela fez isso?" "Sei lá!"
▷ *Search me!* é uma expressão informal e enfática.

TO SHACK UP <small>MORAR COM O PARCEIRO SEXUAL; AMIGAR-SE, AMASIAR-SE</small>

▶ *Anne has shacked up with her boyfriend.*
Anne está morando com o namorado.
▷ O substantivo *shack* (**cabana**) deu origem à expressão *to shack up*, que significa **morar com outra pessoa maritalmente, sem estar oficialmente casado.**

TO SHAG (UK) <small>FAZER SEXO; TRANSAR, TREPAR</small>

▶ *They've been shagging all night.*
Eles estão trepando a noite toda.

▷ Usa-se também o substantivo *shag* para designar o ato ou o parceiro sexual.

▷ O adjetivo *shagged* (*out*) significa **completamente exausto**.

►► *(to) fuck*
to hump
to make it with somebody
nookie/nooky
to score
to screw
zonked (out)

SHEILA (AUS) MULHER, GAROTA

► *There were lots of sheilas at the party.*
Havia muitas garotas na festa.

▷ Na gíria australiana, o nome *Sheila* é usado para designar o sexo feminino no geral. A maioria das mulheres de lá considera o termo chauvinista e ofensivo.

►► *bloke (UK, AUS)*
chick
dude (US)
guy (US)

(TO) SHIT 1. EVACUAR, DEFECAR; CAGAR 2. FEZES; BOSTA, MERDA 3. PORCARIA

▷ Evacuar, defecar; cagar.

► *I need to take a shit.*
Eu preciso cagar.

▷ Fezes; bosta, merda.

► *The grass was covered with shit.*
A grama estava coberta de bosta.

▷ Porcaria.

► *His poem is shit.*
O poema dele é uma merda.

▷ A palavra ofensiva *shit* é muito usada no dia-a-dia numa grande variedade de expressões. Exemplos:

► *To eat shit.*
Engolir sapo.

► *To feel/look like shit.*
Sentir-se/parecer doente.

► *Full of shit.*
Convencido, arrogante; cheio de merda.

► *Get your shit together.*
Arrume-se, organize-se.

► *To have the shits.*

Estar com diarréia; ter uma caganeira.
- ▶ *In the shit/in deep shit.*
  Na merda, na pior.
- ▶ *Not give a shit.*
  Não dar a mínima.
- ▶ *Shit!*
  Merda!
- ▶ *Shit-faced.*
  Muito bêbado.
- ▶ *Shit-hot.*
  Ótimo, sensacional.
- ▶ *To shit yourself.*
  Cagar de medo.
- ▶ *Shitty.*
  Detestável, nojento; de merda.
- ▶ *Tough shit!*
  Azar o seu!
- ▶▶ *bullshit*
  (to) crap
  dump
  the runs

TO SHOOT THE BREEZE/BULL (US) JOGAR CONVERSA FORA, BATER PAPO, FOFOCAR

- ▶ *They were sitting in the garden, shooting the breeze.*
  Eles estavam sentados no jardim, jogando conversa fora.
- ▷ *To shoot the breeze/bull* significa ter uma conversa com alguém ou com um grupo de pessoas sobre assuntos não muito sérios. Usam-se também as expressões menos educadas *to shoot the crap* e *to shoot the shit*.
- ▶▶ *to blab/blabber*
  chinwag (UK)
  to natter (UK)
  to have verbal diarrhea
  windbag
  to yack/yak

SHRINK PSIQUIATRA; PSICANALISTA; PSICOTERAPEUTA

- ▶ *You need to see a shrink.*
  Você precisa consultar um psiquiatra.
- ▷ Esse termo é uma forma abreviada de *headshrinker*, **encolhedor de cabeças**, selvagem de tribos que guardavam as cabeças dos inimigos mortos, utilizando uma técnica que as fazia diminuir de tamanho. Depois, *headshrinker*

passou a designar jocosamente aqueles profissionais de saúde mental, que ficam "mexendo" na cabeça de seus pacientes.

SHUT YOUR MOUTH/FACE/TRAP/GOB (UK)! "CALE A BOCA!"; "FECHE A MATRACA!"

▶ *Oh, shut your trap!*
  Ah, cale a boca!
▷ Essas expressões são todas ásperas e grosseiras.
▶▶ *Can it!*
  gob (UK)

SHYSTER PESSOA DESONESTA, IMORAL, INESCRUPULOSA; SAFADO

▶ *He's a real shyster.*
  Ele é muito safado.
▷ *Shyster* é usada principalmente para referir-se a advogados, políticos e executivos.
▶▶ *sleazebag*

SISSY HOMEM OU RAPAZ EFEMINADO, FRACO, COVARDE; MARICAS

▶ *He's such a sissy!*
  Ele é tão efeminado!
▷ *Sissy* é um termo ofensivo que designa o homem ou rapaz que gosta das coisas que mulheres ou meninas fazem, ou seja, que se comporta como a irmã − *sis/sister.*
▶▶ *wimp*

SIX-PACK BARRIGA DE TANQUINHO

▶ *I like guys with a nice six-pack and pecs.*
  Eu gosto de homens com barriga de tanquinho e peitorais bem definidos.
▷ A *six-pack* é um pacote ou recipiente de seis garrafas ou latas de bebida vendidas juntas. Por causa da semelhança com as latas no pacote, o mesmo termo é usado de modo humorístico para referir-se aos músculos ondulados e bem definidos na barriga dos homens que praticam musculação.

(TO HAVE) A SKINFUL (UK) (TOMAR) MUITA BEBIDA ALCOÓLICA, ENCHER A CARA

▶ *We had a skinful last night.*
  Nós enchemos a cara ontem à noite.
▷ A *skinful* (literalmente, "uma pele cheia") significa **cheio de bebida**, o suficiente para ficar embriagado.
▶▶ *assholed (US)/arseholed (UK)*
  hammered
  loaded (US)

one too many
sloshed
tipsy

A SLASH (UK) O ATO DE URINAR; MIJADA

▶ *I'm just going for a slash.*
Eu só vou ao banheiro dar uma mijada.
▷ *To go for a slash* é uma expressão deselegante, sendo normalmente usada apenas por homens.
▶▶ *a leak*
to pee
(to) piss

SLEAZEBAG PESSOA DESONESTA, IMORAL, INESCRUPULOSA; SAFADO, SACANA

▶ *He's a real sleazebag.*
Ele é muito safado.
▷ *Sleazebag* vem da palavra *sleazy*, que significa **sujo, desonesto, imoral**.
▷ Também se diz *sleazeball* ou *sleaze*.
▶▶ *asshole (US)/arsehole (UK)*
dick
prick
runt
schlep/schmuck (US)
scumbag
shyster
tosser (UK)
wanker (UK)

SLOB PESSOA PREGUIÇOSA, DESLEIXADA, RELAXADA; PORCALHÃO

▶ *He's a fat slob.*
Ele é um gordo porcalhão.
▷ Há também o verbo *to slob around/about*, que significa **vagabundear, comportar-se de maneira preguiçosa e desleixada, fazendo muito pouco**.
▶▶ *half-assed (US)/half-arsed (UK)*

SLOSHED MUITO BÊBADO; DE PORRE

▶ *I went to the pub and got sloshed.*
Eu fui ao bar e fiquei de porre.
▷ *Slosh* é uma palavra onomatopéica que indica o barulho de água ou líquido batendo. Assim, quando há bebida demais "batendo" dentro do corpo, a pessoa está *sloshed*, **muito bêbada**.

►► *assholed (US)/arseholed (UK)*
hammered
loaded (US)
one too many
(to have) a skinful (UK)
tipsy

SMACKER/SMACKEROO BEIJOCA

► *He gave her a big smackeroo on the cheek.*
Ele deu uma grande beijoca na bochecha dela.
▷ O verbo *to smack* significa, entre outras coisas, **fazer estalo com os lábios**, e deu origem às palavras informais *smacker* e *smackeroo*.
►► *gob (UK)*

SMARTY-PANTS INDIVÍDUO QUE TEM A PRETENSÃO DE ENTENDER DE TUDO; SABICHÃO, METIDO, CONVENCIDO

► *OK, smarty-pants, you explain then.*
OK, sabichão, explique você então.
▷ Para designar quem sempre tenta parecer mais inteligente (*smart*) que os outros, usa-se também *smart alec/smart aleck* e os termos ofensivos *smart ass* (US) e *smart arse* (UK).

SNAIL MAIL CORREIO TRADICIONAL

► *I'll send the documents by snail mail.*
Eu vou mandar os documentos pelo correio.
▷ O termo *snail mail* é um apelido humorístico para o correio (*mail*) normal, por oposição a *e-mail*. *Snail* é **lesma** e rima com a palavra *mail*. Além disso, não há como negar que o correio tradicional, se comparado ao eletrônico, funciona mesmo a passo de lesma.

SNAZZY ATRAENTE, CHAMATIVO, LINDO, NA MODA

► *I like your snazzy new shoes.*
Eu gosto desses seus lindos sapatos novos.
▷ *Snazzy* é uma palavra de elogio usada principalmente para descrever roupas, carros e lugares atraentes e alegres, da moda.
►► *jazzy*

TO SNOG (UK) TROCAR BEIJOS E CARÍCIAS; DAR UNS AMASSOS

► *They were snogging in the back seat of the car.*
Eles estavam dando uns amassos no banco traseiro do carro.
▷ *To snog* significa **ficar somente nas preliminares, sem fazer sexo.**

►► *to pet*

SNOT MUCO NASAL; RANHO, MELECA

► *The little boy had snot coming out of his nose.*
O garotinho tinha ranho saindo do nariz.
►► *snotty*

SNOTTY 1. RANHOSO, RANHENTO 2. ESNOBE

▷ Ranhoso, ranhento.
► *A snotty nose.*
Nariz sujo de meleca.
▷ Esnobe.
► *Lord Curzon was snotty as hell.*
Lorde Curzon era esnobe pra diabo.
▷ No sentido figurado, *snotty* designa alguém esnobe e arrogante porque esse tipo de pessoa fica fungando e torcendo o nariz.
►► *la-di-da*

SON OF A BITCH (US) FILHO-DA-PUTA

► *I hate that son of a bitch!*
Eu odeio aquele filho-da-puta!
▷ Também se escreve *sonofabitch* e usa-se a abreviação *S.O.B.*
▷ No plural, diz-se *sons of bitches.*
►► *(to) bitch*
mother/motherfucker

SO-SO 1. MAIS OU MENOS 2. MÉDIO, MEDÍOCRE

▷ Mais ou menos.
► *"How did the interview go?" "So-so."*
"Como foi a entrevista?" "Mais ou menos."
▷ Médio, medíocre.
► *The food at the hotel is only so-so.*
A comida no hotel é apenas mediana.
►► *ish*
kinda

STRAIGHT HETEROSSEXUAL; HÉTERO, ESPADA

► *I think he's straight.*
Acho que ele é hétero.
▷ No sentido convencional, *straight* significa **reto, direito**. Informalmente, designa **quem não é homossexual**.

STUD HOMEM ESPECIALMENTE VIRIL; GARANHÃO

► *They say he's a real stud.*
Dizem que ele é um grande garanhão.
▷ *Stud* é o cavalo usado como macho reprodutor, o garanhão. No sentido figurado, designa o homem atraente que tem fama de fazer muito sexo e ser ótimo parceiro sexual.

(SOMEBODY OR SOMETHING) SUCKS (US) (ALGUÉM OU ALGO) É MUITO RUIM, É UM SACO, É UMA DROGA

► *Studying math sucks!*
Estudar matemática é um saco!
▷ Essa expressão informal é usada normalmente com o verbo no presente. Ficou mundialmente conhecida por causa da série de desenhos animados **Beavis & Butthead**, da MTV, em que Butthead sempre dizia:
► *That sucks!*
Isto é uma droga!
►► *icky (US)*
grotty (UK)
lousy
pants (UK)
ropey/ropy (UK)
rotten
Yuck!/yucky

TA (UK) "OBRIGADO"

▶ *"I've made you a cup of tea." "Ta, mate."*
  "Eu fiz uma xícara de chá para você." "Obrigado, amigo."
▷ No Reino Unido, *Ta* e *Ta very much* são usados informalmente para dizer **Obrigado** e **Muito obrigado**.
▶▶ *Cheers*
  Ta-ta (UK)

TACKY DE BAIXA QUALIDADE OU DE MAU GOSTO; CAFONA, BREGA

▶ *She got some really tacky presents on her birthday.*
  Ela ganhou uns presentes muito cafonas no aniversário.
▶▶ *cheesy*
  icky (US)
  naff (UK)

A TAD UM POUCO, UMA PEQUENA QUANTIDADE

▶ *I'm feeling just a tad disappointed.*
  Eu estou um pouco decepcionado.
▶ *Just a tad more honey, please.*
  Só mais um pouquinho de mel, por favor.

TA-TA (UK) "TCHAU"

▶ *Ta-ta. See you tomorrow.*
  Tchau. Te vejo amanhã.
▷ Além de *Ta-ta*, usa-se *Ta-ra*. *Ta-ra* é usado principalmente no norte da Inglaterra.
▷ Na Internet, no final de um e-mail, muitas vezes se coloca *TTFN* ou *ttfn*, que é sigla de *Ta-ta for now* (**tchau por enquanto**).
▶▶ *Cheers*
  Ta (UK)

TEENY (WEENY) PEQUENINO, EXTREMAMENTE PEQUENO; PETITICO

▶ *Just a teeny weeny piece for me, please.*
  Só um pedacinho pequenininho para mim, por favor.

▷ *Teeny* é corruptela da palavra *tiny* (**minúsculo**). *Weeny* também significa **pequenino**. A expressão *teeny weeny* é muito usada pelas crianças e para falar com elas.

▷ Diz-se também *teensy-weensy*.

►► *itty-bitty/itsy-bitsy*

TELLY (UK) TELEVISÃO

► *I'm going to watch a film on telly tonight.*
Eu vou assistir um filme na telinha hoje à noite.

▷ *Telly* é uma forma abreviada de *television*.

TENNER (UK) DEZ LIBRAS; UMA NOTA DE DEZ LIBRAS

► *Can you lend me a tenner?*
Você pode me emprestar dez libras?

▷ Usa-se também a palavra informal *fiver* (**cinco libras**, ou **nota de cinco libras**).

►► *Ayrton (UK)*
quid (UK)

THICK TOLO, SEM INTELIGÊNCIA; BURRO

► *He's a nice guy, but he's really thick.*
Ele é um cara legal, mas é muito burro.

▷ Para descrever uma pessoa muito burra, sem inteligência, usa-se a expressão *(as) thick as two short planks*.

▷ Informalmente, usa-se o substantivo *thicko* (**burro**). Exemplo:

► *They're a bunch of thickos.*
São um bando de burros.

►► *airhead*
dork
goof
jerk
a lemon
nitwit
pea-brain

THIN ON TOP UM POUCO CARECA

► *My husband is a bit thin on top.*
Meu marido está um pouco careca.

▷ A expressão *thin on top* (ao pé da letra, "esparso, escasso em cima") é usada de modo humorístico para descrever quem está ficando careca.

THINGY COISA; NEGÓCIO; FULANO

▶ *Give me one of those green thingies.*
Dê-me uma daquelas coisas verdes.

▷ Coloquialmente, quando não se lembra, não se sabe ou não quer mencionar o nome de alguma coisa ou de alguém, usa-se a palavra *thingy*. Diz-se também *thingummy*, *thingamabob* e *thingamajig*.

TICK INSTANTE, MOMENTO

▶ *She'll be here in a tick. Please wait.*
Ela vai estar aqui num instante. Espere, por favor.

▷ Essa palavra vem de *tick-tock*, o tique-taque do relógio.

TIGHT-FISTED AVARENTO (ADJETIVO); PÃO-DURO, MÃO-DE-VACA

▶ *Don't expect to get a nice present from him. He's too tight-fisted.*
Não espere ganhar um presente legal dele. Ele é pão-duro demais.

▷ *Tight-fisted* significa literalmente "mão bem fechada".

▷ Diz-se também apenas *tight*.

▷ Em inglês americano, usa-se o substantivo *tightwad* (**mão-de-vaca**).

TIPSY LEVEMENTE EMBRIAGADO; MEIO ALTO, MAMADO

▶ *No more wine for me, thanks. I'm already feeling a bit tipsy.*
Chega de vinho para mim, obrigado. Eu já estou meio alto.

▶▶ *assholed (US)/arseholed (UK)*
hammered
loaded (US)
one too many
(to have) a skinful (UK)
sloshed

TIT/TITTY TETA; ENCHER O SACO

▶ *He likes women with big tits.*
Ele gosta de mulher com tetas grandes.

▷ *Tit* e *titty* são palavras ofensivas.

▷ Em inglês britânico, *tit* também designa um **idiota**, **imbecil**, e a expressão *to get on somebody's tits* significa **encher o saco de alguém**. Exemplo:

▶ *You're really getting on my tits!*
Você está enchendo o saco!

▶▶ *boobs*
hooters
knockers

IN A TIZZ/TIZZY NERVOSO, AGITADO, CONFUSO

▶ *She got herself in a real tizzy.*
Ela ficou muito nervosa.

▷ A expressão *in a tizz* ou *in a tizzy* designa um estado mental de agitação, confusão ou nervosismo temporários.

▷ Diz-se também *in a tiswas*.

►► *antsy/(to have) ants in your pants*

TO-DO CONFUSÃO, DIFICULDADE, TUMULTO; ZOEIRA, BAFAFÁ

▶ *What a to-do, just to get an official stamp!*
Que bafafá só para conseguir um carimbo oficial!

▷ Informalmente, usa-se o substantivo *a to-do* para designar uma confusão ou comoção exagerada.

TOGS 1. ROUPA, PRINCIPALMENTE QUANDO USADA PARA ALGUMA ATIVIDADE ESPECÍFICA 2. MAIÔ (AUS)

▷ Roupa, principalmente quando usada para alguma atividade específica.

▶ *Don't forget to take your football togs.*
Não se esqueça de levar sua roupa de futebol.

▷ Maiô (AUS).

▶ *Get your togs on – we're going to the beach.*
Ponha o seu maiô – nós vamos para a praia.

TOSSER (UK) CRETINO; BABACA; BESTA

▶ *My ex was such a tosser!*
O meu ex era muito besta!

►► *asshole (US)/arsehole (UK)*
dick
prick
runt
schlep/schmuck (US)
twat
wanker (UK)

TO TOSS OFF (UK) MASTURBAR-SE (HOMENS); BATER PUNHETA

▶ *He tosses off reading dirty magazines.*
Ele bate punheta lendo revista de sacanagem.

▷ Em inglês britânico, também existe a expressão *not give/care a toss* (não dar a mínima). Exemplo:

▶ *She doesn't give a toss about what I want.*
Ela não dá a mínima para o que eu quero.

►► *to beat off*

finger-job
hand job
to jerk off
to jill off
to wank (UK)

TOY BOY HOMEM JOVEM QUE É AMANTE DE PESSOA MAIS VELHA

▸ *She went to the party with her new toy boy.*
Ela foi para a festa com seu novo amante jovem.

▷ O *toy boy* (ao pé da letra, "garoto de brinquedo") é normalmente sustentado por essa pessoa mais velha.

TO MAKE TRACKS IR EMBORA

▸ *It's getting late. We'd better make tracks for the tube station.*
Está ficando tarde. É melhor irmos embora para a estação de metrô.

TUBE (AUS) LATA OU GARRAFA DE CERVEJA; CERVA

▸ *Let's crack a few tubes, mate.*
Vamos abrir umas cervejas, amigo.

▷ O sentido convencional de *tube* é **tubo**, **cano**, e os australianos usam a palavra naquele sentido figurado por causa da forma cilíndrica das latas e garrafas de cerveja.

THE TUBE O METRÔ DE LONDRES

▸ *Let's go on the tube.*
Vamos de metrô.

TURD 1. MATÉRIA FECAL SÓLIDA; CAGALHÃO, TIJOLO DE MERDA 2. PESSOA DESPREZÍVEL; MERDINHA

▷ Matéria fecal sólida; cagalhão, tijolo de merda.

▸ *There were dog turds on the carpet.*
Havia pedaços de bosta de cachorro no carpete.

▷ Pessoa desprezível; merdinha.

▸ *He's a stupid little turd!*
Ele é um bostinha idiota!

A TURN-ON/A TURN-OFF ALGUÉM OU ALGO EXCITANTE/DESANIMADOR; TESUDO/BROXANTE

▸ *Her smile is a real turn-on, but her bad breath is a real turn-off.*
O sorriso dela é excitante, mas seu mau hálito é de broxar.

▷ Os verbos *to turn on* e *to turn off* (**ligar** e **desligar**) deram origem a esses dois substantivos, que, no sentido figurado, designam algo ou alguém que excita (*turn-on*) ou que torna indiferente (*turn-off*), sobretudo sexualmente.

TUSH (US) NÁDEGAS; BUNDA

- ▶ *She slipped and fell on her tush.*
  Ela escorregou e caiu de bunda.
- ▷ A palavra *tush* vem do iídiche e entrou na gíria americana para designar o traseiro.
- ▶▶ *ass (us)/arse (UK)*
  bumf/bumph (UK)
  butt
  fanny

TWAT 1. VAGINA; PERERECA 2. CRETINO; BABACA

- ▷ Vagina; perereca.
- ▶ *She failed to hide her twat.*
  Ela não conseguiu cobrir a perereca.
- ▷ Cretino; babaca.
- ▶ *You stupid twat!*
  Seu imbecil!
- ▷ Em ambas as acepções, é uma gíria extremamente ofensiva.
- ▶▶ *asshole (US)/arsehole (UK)*
  dick
  fanny
  pussy
  prick
  runt
  schlep/schmuck (US)
  tosser (UK)
  wanker (UK)

TO TWO-TIME TRAIR, SER INFIEL; CHIFRAR

- ▶ *I think she's two-timing me.*
  Eu acho que ela está me chifrando.
- ▷ A pessoa infiel é chamada *two-timer*.
- ▶▶ *horny*

UBER- SUPER-

▶ *Your new tatoo is uber-cool!*
Sua nova tatuagem é superlegal!
▷ Do alemão *über* (**supra, superior**), a nova gíria *uber* é usada jocosamente com adjetivos para indicar **super-, extremamente,** ou com substantivos para significar **extremamente bem-sucedido.** Exemplo:
▶ *Gisele Bündchen is an uber-model.*
Gisele Bündchen é uma supermodelo.

TO UM AND AH HESITAR, VACILAR, FICAR INDECISO

▶ *We ummed and ahed for months before deciding to buy a new car.*
Nós ficamos indecisos durante meses antes de resolvermos comprar um carro novo.
▷ As palavras *um* e *ah* são representações gráficas dos sons que as pessoas articulam quando estão tentando decidir o que dizer em seguida. Podem também ser grafadas como *hem and haw*, ou *hum and haw*.
▷ Existe ainda o substantivo *umming and ahing* (**indecisão, hesitação**).

UMPTEEN MUITOS, NUMEROSOS; UM MONTE, ENE

▶ *I called him umpteen times, but he was never there.*
Eu liguei ene vezes, mas ele nunca estava.
▷ Usa-se também o número ordinal *umpteenth* para significar algo que já aconteceu inúmeras vezes. Exemplo:
▶ *She saw the movie for the umpteenth time.*
Ela viu o filme pela enésima vez.
▶▶ *a load/loads*

UNDIES ROUPA ÍNTIMA

▶ *I've got to wash my undies.*
Eu preciso lavar a minha roupa íntima.
▷ *Undies* é forma abreviada da palavra *underwear*, **roupa de baixo, roupa íntima.**
▶▶ *to get your knickers in a twist*
pants (UK)

111

UNEARTHLY HOUR HORA ABSURDA, INCONVENIENTE, INACEITÁVEL, OU DE MADRUGADA, OU TARDE DA NOITE

- ► *We had to get up at some unearthly hour to meet him at the airport.*
  Tivemos de acordar a uma hora absurda para ir encontrá-lo no aeroporto.
- ▷ Diz-se também *ungodly hour*.

UNHOLY TERRÍVEL, MEDONHO, MUITO RUIM

- ► *How did you get into this unholy mess?*
  Como foi que você se meteu nessa confusão terrível?
- ▷ O adjetivo *unholy* (**ímpio**, **profano**) é usado informalmente para qualquer coisa terrível.

UNI (UK, AUS) UNIVERSIDADE

- ► *Which uni did you study at?*
  Em qual universidade você estudou?
- ▷ No Reino Unido e na Austrália, a palavra *uni* é usada como abreviação para *university*, **universidade**.

UNREAL INCRÍVEL, MARAVILHOSO, SURPREENDENTE

- ► *He gave you a five thousand dollar bonus? This guy is unreal!*
  Ele lhe deu uma gratificação de 5 mil dólares? Esse cara é incrível!
- ▷ A palavra *unreal* (**irreal**, **imaginário**) é usada na gíria para qualificar qualquer pessoa ou coisa **extremamente surpreendente, incrível**, "que não é deste mundo", "que não existe".
- ►► *awesome*
  Brill! (UK)
  helluva
  mean
  mind-blowing
  neat
  (somebody or something) rocks
  wicked

UPBEAT OTIMISTA, FELIZ; PRA-CIMA

- ► *The group was in a really upbeat mood.*
  O grupo estava com um astral ótimo.
- ▷ O antônimo é *downbeat* – **pessimista, deprimido, pra-baixo**.

UPFRONT HONESTO; FRANCO; DIRETO

- ► *She's always been very upfront with me.*
  Ela sempre foi muito honesta comigo.

▷ Usa-se o termo *upfront* também como advérbio. Exemplo:

▶ *They told us upfront about the dangers.*
Eles nos contaram francamente sobre os perigos.

UPS-A-DAISY! EXPRESSÃO QUE SE DIZ QUANDO ALGUÉM CAI

▶ *Ups-a-daisy! Come here – take my hand.*
Opa! Vem cá – pega a minha mão.

▷ Essa exclamação é usada para acalmar ou aliviar alguém que caiu, ou quando se ajuda a pessoa a levantar-se. Utiliza-se especialmente com crianças.

▷ Escreve-se também *oops-a-daisy*.

UP YOURS! "DANE-SE!"

▶ *No, I won't do that! Up yours!*
Não, eu não vou fazer isso! Dane-se!

▷ *Up yours!* é uma abreviação eufemística para *Up your ass!*. A última palavra fica subentendida em *Up yours!*, expressão ofensiva que freqüentemente se faz acompanhar do gesto vulgar de levantar o dedo médio em riste.

▶▶ *ass (US)/arse (UK)*
bite me!
Eff off!
to screw
V-sign

VEEP VICE-PRESIDENTE

▶ *She's the new veep.*
Ela é a nova vice-presidente.

▷ Essa palavra coloquial reproduz a pronúncia em inglês das iniciais de *vice-president*.

VEG (UK)/VEGGIE (US) LEGUMES, VERDURAS

▶ *Meat and two veg is a typical meal in Britain.*
Carne com dois tipos de legume é uma refeição típica na Grã-Bretanha.

▷ *Veg* (UK) e *veggie* (US) são abreviações de *vegetables* (**hortaliças**).

▷ *Veggie* também significa **vegetariano**.

TO VEG OUT RELAXAR, DESCANSAR, NÃO FAZER NADA; FICAR DE PAPO PRO AR

▶ *I'm going to stay at home tonight and veg out in front of the TV.*
Eu vou ficar em casa hoje à noite e descansar vendo TV.

▷ Aqui, *to veg* é forma abreviada do verbo *to vegetate*, **vegetar**.

▶▶ *to chill/chill out*

TO HAVE VERBAL DIARRHEA FALAR SEM PARAR; FALAR PELOS COTOVELOS

▶ *My God! That woman has verbal diarrhea!*
Meu Deus! Aquela mulher não pára de falar!

▷ A expressão informal *to have verbal diarrhea* ("ter diarréia verbal") é usada de modo humorístico para referir-se à fala excessiva, sobretudo quando o conteúdo é irritante ou desconexo.

▶▶ *to blab/blabber*
chinwag (UK)
to natter (UK)
to shoot the breeze/bull (US)
windbag
to yack/yak

VIBE/VIBES VIBRAÇÕES, ASTRAL, CLIMA

▶ *The club had really bad vibes.*
A boate tinha um astral muito ruim.

▷ Essa palavra, normalmente usada no plural é forma abreviada de *vibrations* e designa o astral geral de uma pessoa ou ambiente.

VINO VINHO

▶ *Would you like some more vino?*
Você quer mais vinho?

▷ Em inglês, vinho é *wine*, mas informalmente se usa também o espanhol/italiano *vino*.

▶▶ *plonk (UK, AUS)*

V-SIGN SINAL OFENSIVO COM OS DEDOS EM V

▶ *The man shouted at her and gave her the V-sign.*
O homem gritou com ela e mostrou-lhe o dedo.

▷ Com a palma da mão virada para fora e o indicador e o dedo médio em V, expressa-se "vitória" ou "paz e amor". Mas, no Reino Unido, quando a palma da mão fica virada para dentro, o gesto torna-se grosseiro, tendo o mesmo significado que o dedo médio erguido em riste.

▷ Esse sinal britânico também é chamado *two-fingers*.

▶▶ *Bite me!*
Eff off!
to screw
Up yours!

WACKO ESTRANHO, EXCÊNTRICO; ESQUISITÃO
- *Jim is really wacko.*
  Jim é muito excêntrico.
- *nuts/nutty*
  oddball
  out to lunch

TO WAFFLE LENGALENGAR; ENCHER LINGÜIÇA, ENROLAR
- *You should never waffle in a written exam.*
  Você nunca deve encher lingüiça em prova escrita.
- *To waffle* significa **falar ou escrever muito, sem dar informações úteis**, ou **evitar dar respostas ou opiniões claras**.
- Existe também o substantivo *waffle*. Exemplo:
- *That was just a load of waffle!*
  Isso foi só encheção de lingüiça!

ON THE WAGON ABSTENDO-SE DE BEBIDAS ALCOÓLICAS; A SECO
- *He's been on the wagon for twenty years now.*
  Já faz 20 anos que ele não bebe.
- Se a pessoa volta a beber, diz-se que ela está *off the wagon*.

A WALKOVER (UK)/A WALKAWAY (US) VITÓRIA FÁCIL; PASSEIO
- *The final was a walkover for Guga.*
  A final foi um passeio para Guga.
- As expressões *a walkover* e *a walkaway* são usadas principalmente para referir-se a uma vitória fácil em competições.

TO WANK (UK) MASTURBAR-SE (HOMENS); BATER PUNHETA
- *Paul usually wanks off in the shower.*
  Paul costuma bater punheta no chuveiro.
- Em inglês britânico, **bater punheta** é *to wank*, *to wank off* ou *to have a wank*.
- *to beat off*
  finger-job
  hand job

116

to jerk off
to jill off
to toss off (UK)
wanker (UK)

WANKER (UK) INÚTIL, INCOMPETENTE (SUBSTANTIVO); BABACA

▶ *He's a real wanker!*
Ele é muito incompetente!
▷ Para xingar de idiota ou incompetente uma pessoa, normalmente homem, usa-se a palavra *wanker*, **punheteiro**.
▶▶ *asshole (US)/arsehole (UK)*
dick
prick
runt
schlep/schmuck (US)
tosser (UK)
twat

WANNABE PESSOA QUE DESEJA TER SUCESSO OU FAMA

▶ *Wannabe actors usually go to this club.*
Quem quer ser ator costuma ir a essa boate.
▷ A palavra *wanna* reproduz a forma com que se pronuncia *want to*. *Wannabe* é uma corruptela de *want to be* e designa a pessoa que está tentando alcançar sucesso ou fama, normalmente sem nenhum êxito. A expressão se tornou popular com o sucesso de Madonna, quando os fãs dela declaravam:
▶ *I wanna be like Madonna!*
Eu quero ser igual a Madonna!

WELL-HUNG HOMEM COM GENITÁLIA AVANTAJADA; BEM-DOTADO

▶ *They say he's really well-hung.*
Dizem que é muito bem-dotado.
▷ Ao pé da letra, *well-hung* quer dizer "bem pendurado".
▷ Diz-se também *well-endowed*, que é o equivalente exato de **bem-dotado**.

A WHOPPER ALGO SURPREENDENTEMENTE GRANDE

▶ *She's got a whopper of a nose!*
Ela tem um nariz enorme!
▷ A palavra *whopper* é usada de modo humorístico para descrever algo muito grande se comparado com outras coisas do mesmo tipo. Usa-se também o adjetivo *whopping*, **extremamente grande**. Exemplo:

- *The company made a whopping eight million dollar profit.*
  A empresa teve um lucro descomunal: oito milhões de dólares.

WICKED EXCELENTE; LEGAL, DA HORA

- *She bought some really wicked new sneakers.*
  Ela comprou um tênis bem da hora.
- ▷ O sentido original da palavra *wicked* é **malvado**, mas em gíria, especialmente entre os jovens, significa **excelente, da hora**.
- ▶▶ *awesome*
  Brill! (UK)
  helluva
  mean
  mind-blowing
  neat
  (somebody or something) rocks
  unreal

WIMP ALGUÉM MEDROSO, FRACO, COVARDE, INSEGURO; COVARDÃO, BUNDA-MOLE

- *He's such a wimp!*
  Ele é tão medroso!
- ▷ A palavra *wimp* indica uma pessoa fraca em corpo, mente ou caráter, e tem sua origem no personagem medroso – Wimpy – do desenho animado **Popeye**.
- ▷ Usa-se também o verbo *to wimp out* quando se decide não fazer algo porque fica com medo ou inseguro.
- ▶▶ *sissy*

WINDBAG PESSOA QUE NÃO PÁRA DE FALAR, NORMALMENTE SÓ SOBRE COISAS CHATAS; VITROLA QUEBRADA

- *He's just a boring old windbag.*
  Ele é só um velho chato que não pára de falar.
- ▷ *Windbag* é, literalmente, "saco cheio de ar".
- ▶▶ *to blab/blabber*
  chinwag (UK)
  to natter (UK)
  to shoot the breeze/bull (US)
  to have verbal diarrhea
  to yack/yak

WOOZY GROGUE, FRACO, CONFUSO

- *I'm still feeling a bit woozy after being in bed with the flu.*

Eu ainda estou me sentindo um pouco grogue, depois de ter ficado acamado com gripe.

▷ Fica-se *woozy* por causa ou de doença, ou do efeito de remédios, ou do excesso de bebida.

▷ Diz-se também *groggy*.

WOW SUCESSO EXTRAORDINÁRIO

▶ *He's a real wow with the girls.*
Ele faz um sucesso danado com as garotas.

▷ A palavra *Wow!* (**Uau! Opa!**), usada para demonstrar surpresa e alegria, é também empregada como substantivo para designar qualquer pessoa ou coisa que faça sucesso ou cause boa impressão.

▷ Existe também o verbo *to wow*, **impressionar, encantar, empolgar**. Exemplo:

▶ *The band wowed audiences everywhere they played.*
A banda empolgou as platéias em todos os lugares que tocou.

TO X/TO X OUT RISCAR, APAGAR, CANCELAR

▶ *I Xed out the things on the list I'd already bought.*
Apaguei da lista as coisas que eu já tinha comprado.

▷ O verbo *to X* ou *to X out* significa **fazer um X em cima de algo, normalmente numa lista, para indicar que não se quer ou não se precisa mais do item que está escrito.**

TO YACK/YAK FALAR DEMAIS, TAGARELAR, NORMALMENTE SOBRE COISAS SEM IMPORTÂNCIA

▶ *She's been yacking for hours.*
Faz horas que ela está tagarelando.
▶▶ *to blab/blabber*
chinwag (UK)
to natter (UK)
to shoot the breeze/bull (US)
to have verbal diarrhea
windbag

YADA YADA YADA (US) BLABLABLÁ

▶ *Politicians always say they will cut taxes, improve the economy, yada yada yada.*
Os políticos sempre dizem que vão cortar impostos, melhorar a economia, esse blablablá.
▷ Usa-se *yada yada yada* para completar uma frase quando não se precisa ser específico, ou quando o assunto é chato, ou quando a conversa é fiada...
▷ Diz-se também *blah blah blah*.

YEAH/YEP/YAH SIM

▶ *"Are you going to the party?" "Yeah, sure!"*
"Você vai à festa?" "Sim, claro!"
▷ Informalmente, em vez de *yes*, diz-se *yeah*, *yep* ou *yah*.
▶▶ *nope*

YO! "OI!"; "OLÁ!"

▶ *Yo, Mike! How's things?*
Oi, Mike! Como vão as coisas?
▷ *Yo!* é gíria usada como cumprimento quando se encontram amigos.

YUCK!/YUCKY "URGH!"

▶ *Yuck! What a disgusting smell!*
Urgh! Que fedor nojento!

120

▷ *Yuck!* é uma exclamação onomatopéica de nojo ou desagrado. O adjetivo informal *yucky* designa qualquer coisa ou pessoa suja, nojenta, asquerosa. Essas palavras também podem ser escritas como *yuk/yukky*.

►► *icky (US)*
grotty (UK)
lousy
pants (UK)
popey/ropy (UK)
rotten
(somebody or something) sucks (US)

YUMMY DELICIOSO, GOSTOSO, MARAVILHOSO

► *This strawberry pie is so yummy!*
Essa torta de morango está tão gostosa!

▷ *Yummy* normalmente se refere a comida, mas também pode descrever uma pessoa, no sentido de ser sexualmente atraente. Exemplo:

► *Her brother is really yummy!*
O irmão dela é muito gostoso!

►► *an eyeful*
fit (UK)
fox
hunk
juicy

TO ZAP 1. MATAR, LIQUIDAR, DESTRUIR 2. MUDAR DE CANAL DE TELEVISÃO COM O CONTROLE REMOTO

▷ Matar, liquidar, destruir.

► *We have the technology to zap the enemy immediately.*
Temos a tecnologia para destruir o inimigo na hora.

▷ Em histórias em quadrinhos, *Zap!* é uma onomatopéia muito usada para indicar uma investida fulminante. Por isso, passou para o inglês informal com o sentido de **destruir, matar**, inclusive no sentido figurado. Exemplo:

► *This is going to zap the competition.*
Isso vai liquidar a competição.

▷ Mudar de canal de televisão com o controle remoto.

► *He keeps zapping channels all the time.*
Ele fica mudando de canal o tempo todo.

►► *to off (US)*

ZING VITALIDADE, ENERGIA, DINAMISMO, ENTUSIASMO

► *His music lacks zing.*
Falta vitalidade à música dele.

▷ A palavra informal *zing* designa uma qualidade que torna algo excitante, animado, vivo.

▷ Existe também o adjetivo *zingy* – **animado, cheio de energia**.

►► *oomph*
pep

ZIP (US) 1. NADA; NADINHA, NECAS DE PITIBIRIBA 2. O NÚMERO ZERO

▷ Nada; nadinha, necas de pitibiriba.

► *He knows zip about women.*
Ela não sabe nadinha sobre as mulheres.

▷ O número zero.

► *They're winning five to zip.*
Eles estão ganhando de cinco a zero.

►► *diddly*
jack shit (US)

ZIT ESPINHA NA PELE

► *You should never squeeze your zits.*
Você nunca deve espremer as espinhas.

▷ *Zit* significa uma pequena espinha infecciosa, normalmente no rosto. Um apelido cruel para quem tem muitas espinhas na cara é *zit-face*.

►► *pizza-face*

ZONKED (OUT) EXAUSTO, DESMAIANDO DE SONO; PREGADO

► *I was really zonked after the trip.*
Eu estava pregado depois da viagem.

▷ *To zonk (out)* é um verbo onomatopéico que significa **perder a consciência sob o efeito de drogas**. Usa-se a expressão *zonked (out)* no sentido de **completamente exausto**.

►► *to shag (UK)*

Glossário Português-Inglês

A

a seco ver abstendo-se de bebidas alcoólicas
A tua hora chegou *your number is up* 76
abonado ver rico
aborrecer ver pegar no pé
abstendo-se de bebidas alcoólicas *on the wagon* 116
abuso ver roubo
aceso *horny* 52
achar ver pensar
acne *pizza-face* 84, *zit* 122
Acorde e levante-se! *Rise and shine!* 91
alto ver bêbado
amasiar-se/amigar-se ver morar com o parceiro
amigo(a) *mate (UK, AUS)* 68
amorzinho *honey (US)* 52
animal ver legal
animar *pep* 82
ânimo ver vigor
apagar alguém ver matar
apagar *to X/to X out* 119
apelido *a.k.a./aka* 16
astral *vibe/vibes* 114
atraente *an eyeful* 36
atrevido *sassy (US)* 95
Austrália *down under* 33 *Oz (UK)* 79
avarento ver pão-duro
Azar o seu! *(to) shit* 98
azarar ver paquerar

B

babaca ver idiota
bacana ver legal
bafafá ver confusão
bajulador ver puxa-saco
bambambã (ser o) *(somebody or something) rules OK* 94
banheiro *bog (UK)* 23
baqueado ver bêbado
barata *roach* 92

baratíssimo *dirt cheap* 32

barato ver prazer

barriga de tanquinho *six-pack* 100

barro *dump* 34

baseado *joint* 58

bate-papo *chinwag (UK)* 28

bater punheta ver masturbar-se

bêbado *assholed (US)/arseholed (UK)* 18

bebida alcoólica *(to) booze* 24

beijoca *smacker/smackeroo* 102

bem de vida *on easy street* 35

bem ver amorzinho

bem-bolado ver estiloso

bem-dotado *well-hung* 117

benzinho *baby/babe* 20

bi ver bissexual

bicha enrustida *queen* 88

bicha ver homossexual

bissexual *AC/DC* 15

blablablá *yada yada yada (US)* 120

Bobagem! *Bollocks! (UK)* 23

bobo, bocó ver idiota

boca *gob (UK)* 44

bode *a bummer* 25

bóia ver comida

bombar ver levar pau

boquete ver chupeta

bosta *(to) crap* 29

bostinha *turd* 109

brega ver cafona

brinde *freebie* 41

britânico *pom/pommy (AUS)* 85

broxante *a turn-on/a turn-off* 109

buça ver xoxota

bugigangas *odds and sods (UK)* 77

bunda *ass (US)/arse (UK)* 17

bunda-mole ver medroso

burro, estúpido *thick* 106

c

caçoar ver zombar

cafona *cheesy* 27

cagada *dump* 34

cagalhão ver tijolo de merda

cagar *(to) crap* 29, *turd* 109

cagatório *bog (UK)* 23

Cai fora! ver Dane-se!

calcinhas *undies* 111

Cale a boca! *Can it!* 27

cama *the sack* 95

camisinha *johnny (UK)* 58

canguru *roo (AUS)* 93

canja ver moleza

cantar ver paquerar

cara de chokito *pizza-face* 84

cara ver homem

cerva *tube (AUS)* 109

chamar o Hugo *to barf* 20

chapa ver amigo (a)

chato, maçante *sad* 95

chifrar ver trair

chinfrim ver ruim

chique *posh* 85

chocante ver legal

chover forte *(to) piss* 83

chulé ver ruim

chumbado ver bêbado

chupada ver chupeta

chupão *hickey (US)* 51

chupeta *blow job* 22

cidade pequena e chata *one-horse town* 78

cigarro *fag/faggot* 37

clima ver astral

cochilar ver soneca

coisa *thingy* 107

coisas *to know your stuff* 62

coito ver trepar

colega ver amigo(a)

com tesão ver aceso

combinado, OK *okey-dokey/okey-doke* 78

comer em excesso *to OD* 77

comida *grub* 46

confundir *to flummox* 40

confusão *to-do* 108

contentíssimo *chuffed (UK)* 28

cópula *nookie/nooky* 75

coragem *balls* 20, *guts* 46

corpo *bod* 23

correio tradicional *snail mail* 102

corujão ver vôo noturno

covardão ver medroso

craque *ace* 15

cretino ver idiota
criticar *to nitpick* 74
cu *asshole (US)/arsehole (UK)* 18
cu-do-mundo *armpit* 17
cuzão ver idiota

D

da hora ver legal
danado ver maldito
dançar *to mosh* 70
Dane-se! *Bite me!* 21
dar com os burros n'água ver fracassar
dar uns amassos *to pet* 83
de porre ver bêbado
decepção *a non-event* 75
defecar ver cagar
delicioso *yummy* 121
depressa *PDQ/pdq* 81
depressão *the blues* 23
descansar ver relaxar
desencanado *laid-back* 63
desmancha-prazeres *party pooper* 81
despedida de solteira *hen night/hen party* 50
despedida de solteiro *stag night/stag party* 51
desrespeitar *to diss/dis (US)* 32
detalhes complexos *the ins and outs* 55
dez libras *tenner (UK)* 106
Diacho! *Heck!* 50
diarréia *the runs* 94
dinheiro *dosh (UK)* 33
distraído *out to lunch* 79
doçura ver amorzinho
drogas *acid* 15, *joint* 58, *pot* 85, *roach* 92

E

ecstasy *acid* 15
ejacular ver orgasmo
embonecar-se *to doll (yourself) up* 32
embromar ver enrolar
emoção ver prazer
empanturrar-se ver comer em excesso
encher a cara *(to have) a skinful (UK)* 100
encher lingüiça *to waffle* 116
encher o bucho ver comer em excesso
encher o saco *(to) piss* 83, *tit/titty* 107
ene *umpteen* 111

energia ver vigor

enjoado *picky* 83

enlouquecer *to go postal (US)* 46

enrolar *to faff about/around (UK)* 37

entender do riscado *to know your stuff* 62

entusiasta *freak* 41

ereção *a hard-on* 49

errar feio *to screw up* 97

erro crasso *goof* 45

esnobe *la-di-da* 63

espada ver heterossexual

esperar *to hang on* 49

esperma *(to) come* 29

espinha na pele *zit* 122

esquisitão *oddball* 77

esquisito ver excêntrico

estar a fim ver querer

estiloso *nifty* 74

Estou caindo fora *I'm out of here* 79

estragado *(to go) down the pan* 80

Eu idem *Same here* 95

evacuar ver cagar

exame visual rápido *once-over* 78

exausto *zonked (out)* 122

excelente *mean* 68

excêntrico *kinky* 61

excitante *a turn-on/a turn-off* 109

F

falar muito, pelos cotovelos ver tagarelar

faminto *I could eat a horse* 35

fantástico ver legal

farreando, fazendo farra *on the razzle (UK)* 90

fazer sexo ver trepar

feio *(to have) a face like the back (end) of a bus (UK)* 37

felação *blow job* 22

feliz *chuffed (UK)* 28

festa para homens ver despedida de solteiro

festa para mulheres ver despedida de solteira

fezes ver cagar

ficar de chamego ver dar uns amassos

ficar de papo pro ar ver relaxar

filho da puta *mother/motherfucker* 71

fissurado ver entusiasta

flertar ver paquerar

Foda-se! *(to) fuck* 41

fofocar to *shoot the breeze/bull (US)* 29
fome *peckish (UK)* 82
foto *pic* 83
fracassar *(to) flop* 40
fricoteiro *drama queen* 33
frio *nippy* 74
fulano *thingy* 107
furioso *(to go) ape/apeshit* 17

G

garanhão *stud* 104
garota ver mulher
garoto de programa *rent boy (UK)* 91
garoto ver homem
gases intestinais *(to) fart* 38
gata ver mina
gay ver homossexual
genitais femininos ver xoxota
gentalha ver povo
gilete *AC/DC* 15
gostar muito *into* 55
gostoso ver delicioso
gozar ver orgasmo
grana ver dinheiro
grogue *woozy* 118
guarda-chuva *brolly (UK)* 25
gulodices *goodies* 45

H

Há quanto tempo a gente não se vê! *Long time no see!* 66
hesitar *to um and ah* 111
heterossexual *straight* 103
homem *bloke (UK, AUS)* 22
homem comum *Joe Blow (US)/Joe Bloggs (UK)* 58
homem efeminado *sissy* 100
homem gostoso *hunk* 53
homem metido a besta, cretino *prick* 85
homossexual *queer* 88
honesto ver verdadeiro
honesto/franco/direto *upfront* 112
hora absurda *unearthly hour* 112

I

idiota *airhead* 16, *asshole (US)/arsehole (UK)* 18, *dick* 31, *dork* 32, *goof* 45, *a lemon* 64,
   nitwit 74, *pea-brain* 81, *runt* 94, *schlep/schmuck (US)* 96, *scumbag* 97, *thick* 106,
   tosser (UK) 108, *turd* 109, *twat* 110, *wanker (UK)* 117

imbecil ver idiota
inadmissível *no-no* 75
incompetente *half-assed (US)/half-arsed (UK)* 48, *wanker (UK)* 117
indeciso *iffy* 54
injeção *jab (UK)* 56
insignificante ver pífio
instante *tick* 107
internauta (maníaco por internet) *netizen* 73
ir de bar em bar *pub crawl* 86
ir embora *to make tracks* 109
ir para o ralo ver fracassar
irmã (o) mais novo (a) *kid brother/kid sister* 61
irritado ver nervoso

J
juiz esportivo *ref* 91

L
lábia *gob (UK)* 44
lambão ver incompetente
lata de cerveja *tube (AUS)* 109
leão-de-chácara *bouncer* 24
legal *awesome* 19
legumes *veg (UK)/veggie (US)* 114
lengalenga (fazer) ver encher lingüiça
lésbica *dyke/dike* 34
levar pau *to flunk* 40
libra esterlina *quid (UK)* 89
limpeza rápida *once-over* 78
língua estrangeira *lingo* 64
lógico ver naturalmente 72
loja que vende bebidas alcoólicas *offie/offy (UK)* 78
louco *nuts/nutty* 76
LSD *acid* 15

M
macetes, os ver detalhes complexos
maconha *pot* 85
maiô *togs (AUS)* 108
maionese *mayo* 68
mais ou menos *ish* 55
maldito *frigging* 41
mal-educado ver atrevido
maluco *wacko* 116
mamado ver bêbado
mancada ver erro crasso

mão *mitt* 70

mão-de-vaca ver pão-duro

maravilhoso ver legal

marca de chupão *hickey (US)* 51

margarina *marge (UK)* 67

maricas ver homossexual

masturbação feminina *finger-job* 39

masturbar-se (homens) *to beat off* 20

masturbar-se (mulheres) *to jill off* 57

matar *to off (US)* 77

máximo *max* 68

medonho ver terrível

medroso *wimp* 118

meio alto *tipsy* 107

meleca ver ranho

merda nenhuma *jack shit (US)* 56

merda ver cagar

metido a besta ver esnobe

metrô de Londres *the tube* 109

meu *man* 67

michê ver garoto de programa

microondas (esquentar no) *to nuke* 75

mijar ver urinar

mina *chick* 27

moça ver mulher

moleza *a breeze* 24

montado na grana ver rico

montão, um *a load/loads* 65

morar com o parceiro *to shack up* 97

morrer *to meet your maker* 69

mostrar o traseiro descoberto *(mooning) to moon* 70

mudar de canal de TV *to zap* 121

mufunfa ver dinheiro

muito *helluva* 50

mulher *bimbo* 21, *bitch* 21, *chick* 27, *pussy* 87, *sheila (AUS)* 98

música ao vivo *gig* 44

N

nada *diddly* 31

nadando em dinheiro ver rico

nádegas ver bunda

nadinha ver nada

nanico *runt* 94

não estar nem aí *not give a monkey's (UK)* 70

não *nope* 75

naturalmente *natch* 72

necas de pitibiriba ver nada

neozelandês *Kiwi* 61

nervoso *antsy/(to have) ants in your pants* 16, *in a tizz/tizzy* 108, *to get your knickers in a twist* 43

no máximo *max* 68

nojento ver ruim

Nossa! *Man!* 67

Nova Zelândia *down under* 33; ver também neozelandês

O

Obrigado! *Cheers (UK)* 27, *Ta (UK)* 105

ofendido *miffed* 69

Oi! *G'day! (AUS)* 43

Olá! *Yo!* 120

olhadinha ver exame visual rápido

orelha *lug/lughole* 66

orgasmo *(to) come* 29

otimista *upbeat* 112

ótimo ver legal

overdose *to OD* 77

P

p. da vida *(to go) ape/apeshit* 17

palerma ver idiota

panaca ver idiota

pão-duro *tight-fisted* 107

papel higiênico *bog (UK)* 23, *bumf/bumph (UK)* 25

papelada *bumf/bumph (UK)* 25

papo furado ver Bobagem!

paquerar *to hit on somebody (US)* 51

para mim tanto faz *I'm easy* 54

parceiro (a) sexual *lay* 63

parente *rellie (AUS)* 91

passeio ver vitória fácil

pata ver mão

pau duro ver ereção

pau ver pênis

pé no saco *a pain in the ass/butt (US)* 80, *a pain in the arse/ backside (UK)* 80

pedação ver atraente

pegar no pé *to nag* 72

peidar ver gases intestinais

peito *balls* 20

peitos ver tetas

penetra *to crash* 30

pênis *cock* 29

pensar *to reckon* 90

pentelho *to nitpick* 74
pequenininho *itty-bitty/itsy-bitsy* 55
pequeno *dinky* 31
perereca ver xoxota
perigoso *hairy* 48
pessoa antiquada *old fogey/fogy* 78
pessoa desonesta *shyster* 100
pessoa estranha *oddball* 77
pessoa metida ver sabichão
pessoa preguiçosa *slob* 101
pessoa que deseja ter sucesso ou fama *wannabe* 117
pessoas ricas *the jet set* 57
petitico ver pequenininho
pica ver pênis
picante *juicy* 58
pifado ver quebrado
pífio *piddling* 83
pinel ver louco
pinto ver pênis
pique ver vigor
pirado ver louco
pneuzinhos *love handles* 66
pochete *fanny* 38
poder *clout* 29
podre ver ruim
populacho ver povo
porcalhão ver pessoa preguiçosa
porcaria *(to) crap* 29
porra nenhuma *(to) fuck* 41, *a rat's ass (US)/a rat's arse (UK)* 90
povão, povo *the riff-raff* 91
pra cima ver otimista
praia *(not be your) cup of tea* 30
prazer *kick* 60
preferência *(not be your) cup of tea* 30
pregado ver bêbado
pregado ver exausto
preocupação/problema *hang-up* 49
presente *prezzie (UK)* 85
preservativo ver camisinha
pretensioso *artsy-fartsy (US)/arty-farty (UK)* 17
privada ver banheiro
procurar pêlo em ovo ver criticar
propina *kickback* 61
psicanalista *shrink* 99
punheta ver masturbar-se
punheteiro *wanker (UK)* 117

purê de batata *mash (UK)* 67
Puta...! *(to) fuck* 41
puto da vida *(to) piss* 83
puxa-saco *ass-licker (US)/arse-licker (UK)* 19

Q

Que saco! *(to) piss* 83
quebrado *kaput* 60
querer *to fancy* 38
querido(a) *baby/babe* 20

R

rabo ver bunda
rango ver comida
ranho *snot, snotty* 103
rave *acid house party* 16
reclamação *an earful* 35
relaxar *to chill/to chill out* 28
reorganizar *to rejig/to rejigger (US)* 91
rico *flush* 40
roliço *roly-poly* 92
ronda dos bares ver ir de bar em bar
roubalheira ver roubo
roubo *a rip-off* 91
roupa íntima *undies* 111
roupa *togs* 108
ruim *grotty (UK)* 46, *lousy* 66

S

sabichão *smarty-pants* 102
sacana ver pessoa desonesta
sacar bem alguém *to have somebody's number* 49
saco *balls* 20
saco cheio *(to) piss* 83
safado ver pessoa desonesta
Santo Deus! *Holy smoke!* 51
sapatão ver lésbica
sarrista *prick-teaser* 86
Saúde! *Cheers (UK)* 27
segurança de bar, boate, festa ver leão-de-chácara
Sei lá! *Search me!* 97
seios ver tetas
Sem chance! *fat chance* 39
Sério? *fair dinkum (AUS)* 37
sexo oral ver chupeta
sexy ver atraente

sim *yeah/yep/yah (US)* 120
sinal ofensivo com os dedos em V *V-sign* 115
sobremesa *pud (UK)* 86
soçaite, o ver pessoas ricas
soneca *kip (UK)* 61
sopa ver moleza
sovaco *armpit* 17
suborno ver propina
sucesso extraordinário *wow* 119
sujeito ver homem
sujo *mucky* 71
super- *uber-* 111
surpreendente *mind-boggling* 69
suspeito *fishy* 39

T

tagarelar *to blab/blabber* 22
tampinha ver nanico
Tchau! *Cheers (UK)* 27, *Ta-ta (UK)* 105
telefonema *a buzz* 26
televisão *telly (UK)* 106
tempo (dar um) *to give somebody a break* 44
terrível *unholy* 112
tesão ver atraente
testículos *balls* 20
tesudo *horny* 52
tetas *boobs* 23
tiete *groupie* 46
tijolo de merda *turd* 109
tipo isto ou aquilo ver mais ou menos
tirar sarro *(to) piss* 83
toalete ver banheiro
toco de baseado *roach* 92
Tolice! ver Bobagem!
trair *to two-time* 110
tralha ver bugiganga
transa (pessoa) ver parceiro sexual
transar ver trepar
trapacear *(to) con* 29
traseiro ver bunda
trepar *(to) fuck* 41
turma (masculina) *the lads (UK)* 63

U

Uh! Ih! *D'oh!/d'uh!* 32
um fio ver telefonema

um pouco *a tad* 105
um pouco careca *thin on top* 106
Uma ova! *ass (US)/arse (UK)* 17
uma rapidinha *a quickie* 89
universidade *uni (UK, AUS)* 112
Urgh! *Yuck!/yucky* 120
urinar *a leak* 64

V

Vá dar um jeito na vida! *Get a life!* 43
vagabundear *slob* 101
vagina ver xoxota
Vai saber! ver Sei lá!
Valeu! *Good on you! (AUS)* 45
veado ver homossexual
vegetariano *veg (UK)/veggie (US)* 114
vencer *to kick (some) ass* 60
vender *to flog* 39
verdadeiro *fair dinkum (AUS)* 37
vibrações ver astral
vice-presidente *veep* 114
vigor *oomph* 79
vinho barato *plonk (UK, AUS)* 84
vistoso *jazzy* 56
vitória fácil *a walkover (UK)/a walkaway (US)* 116
vomitar *to barf* 20
vôo noturno *red-eye* 90

X

xixi ver urinar
xoxota *fanny* 38

Z

zangado *hot under the collar* 52
zé-povinho ver homem comum
zero ver nada
zoeira ver confusão
zombar *to josh (US)* 58

Este livro foi composto na fonte Interstate
e teve sua impressão em outubro de 2010 pela
Gráfica Yangraf, sobre papel offset 90g/m².